DAS KANN ICH AUCH!

GEBRAUCHSANWEISUNG FÜR MODERNE KUNST

Christian Saehrendt Steen T. Kittl

DUMONT

www.DuMontLiteraturundKunst.de

Titelillustration: Stephan Rürup
Layout: Silvia Cardinal
Umschlaggestaltung: Birgit Haermeyer
Produktion: Marcus Muraro
Reproduktion: L&N, Litho
www.ln-litho.de
Druck und Verarbeitung:
FGB Freiburger Graphische Betriebe
www.fgb.de

Printed in Germany
ISBN: 978-3-8321-7759-1

INHALT

EINLEITUNG

MACHEN SIE DIE KUNSTDIÄT!

MACHEN SIE DIE KUNSTDIÄT!

Die Kunst wird immer fetter: An ihr kommt zurzeit niemand vorbei. Zeitungen und Medien sind voll mit großen Berichten über sensationelle Auktionen oder mit Homestorys angesagter Künstler. Wer hat nicht schon mehr als einmal eine große Enttäuschung erlebt, wenn er auf den Sturm im Blätterwald hereinfiel und eine angepriesene Ausstellung besuchte: banale Bilder und Objekte, provokante Dünnbrettbohrerei oder schlicht ekelhaftes Zeug.

Wenn Sie nach zwölfstündigem Arbeitstag noch in der Lage sein müssen, eine Ausstellungseröffnung zu besuchen, weil dort wichtige Geschäftspartner anzutreffen sind oder weil Sie Ihre sozialen Kontakte nicht komplett der Arbeit opfern wollen, dann möchten wir Sie nicht noch mehr bestrafen, indem wir Sie am Ende dieses Buches doch wieder nur auf dickleibige Werkverzeichnisse und Kunstkataloge verweisen. Dieses Buch richtet sich genauso an verzweifelte Eltern, deren Sohn oder Tochter nach dem Abitur beschließt, ›was mit Kunst‹ zu machen; an Verliebte, die ihre Angebeteten mit dem Wissen über Kunst gewinnen wollen – Stichwort ›intellektuelles Flirten‹ für Anfänger; an alle, die mit einem Künstler oder einer Künstlerin liiert sind – oder waren – und ihren (Ex)-Partner endlich verstehen wollen. Es richtet sich auch an diejenigen, in deren Freundeskreis immer häufiger gebruncht wird, damit die Gastgeber mit ihren neu erstandenen Kunstwerken angeben können. Vor allem aber an Sie, wenn Sie die zeitgenössische Kunst regelmäßig auf die Palme bringt, weil sie Ihnen nichtssagend und absichtsvoll unverständlich erscheint, Sie aber trotz allem der Ehrgeiz gepackt hat, nicht kampflos das Feld zu räumen.

Alle Kunstenthusiasten hingegen müssen wir warnen. Wenn Sie sich auch bis jetzt noch nicht abschrecken ließen, sagen wir Ihnen noch eins: Wir werden Sie auf keinen Fall zu Ausstellungsbesuchen animieren. Im Gegenteil: Meiden Sie Sonderausstellungen mit Warte-

schlangen, über die alle sprechen! Sie verpassen nichts. Auch auf den Besuch von Kunstmessen kann man getrost verzichten. Und sollten Sie einmal nicht vermeiden können, einer Vernissage beizuwohnen, zeigen wir Ihnen, wie Sie den Abend ohne seelischen Schaden überstehen. Wir wollen Sie auch nicht überreden, Kunst zu kaufen oder gar zu sammeln. Kaufen Sie lieber nichts und gehen Sie seltener ins Museum. Schleppen Sie sich nicht mit schweren Ausstellungskatalogen ab: Die stehen nur im Regal herum und sind beim nächsten Umzug lästig. Sparen Sie das Geld lieber für ein schnelles Auto oder für Kinokarten. Und vergessen Sie nicht: Kunst ist kein Ersatz für das persönliche Glück, den lieben Gott oder das richtige Leben.

Unser Grundprinzip lautet: Weniger ist mehr. Lernen Sie, ohne Gewissensbisse auf schlechte Kunst und hohle Massenevents zu verzichten! Da müssen Sie nicht dabei sein. Wir empfehlen dagegen die ultimative Kunst-Diät.

KAPITEL 1

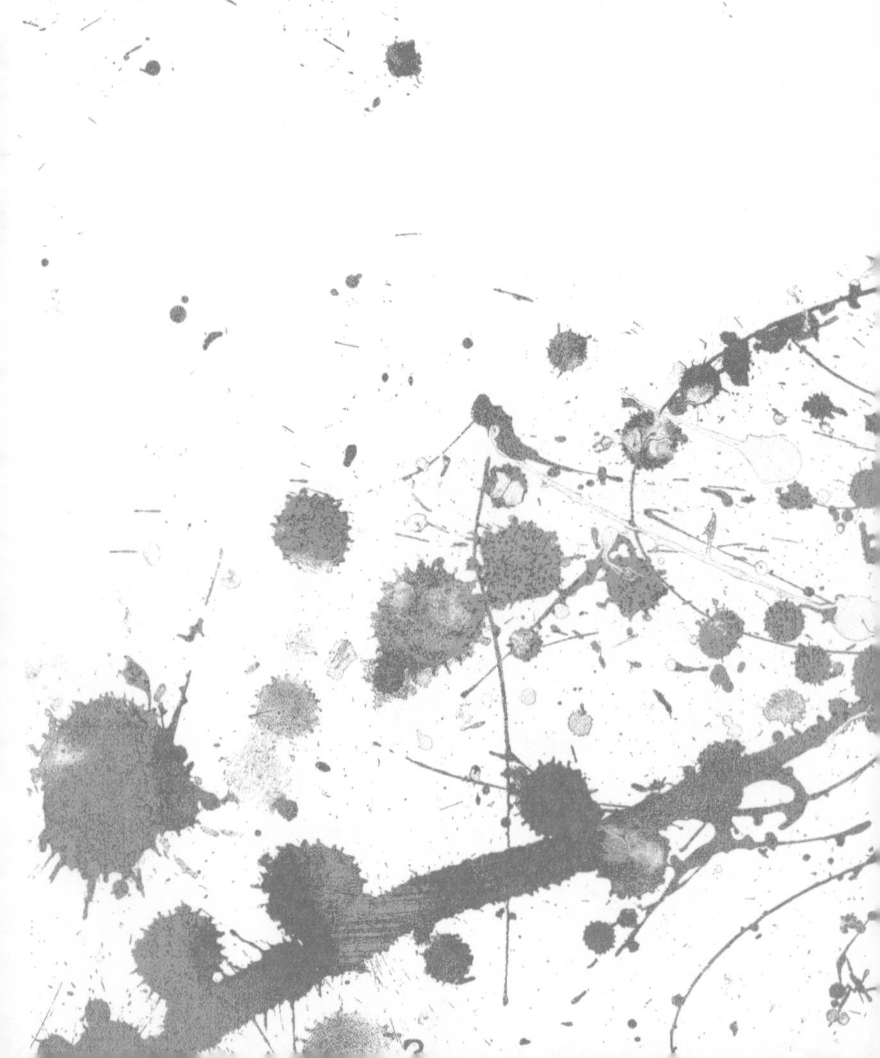

UND DAS SOLL ALLES KUNST SEIN? ODER: EIN PFAD DURCH DEN KUNSTDSCHUNGEL

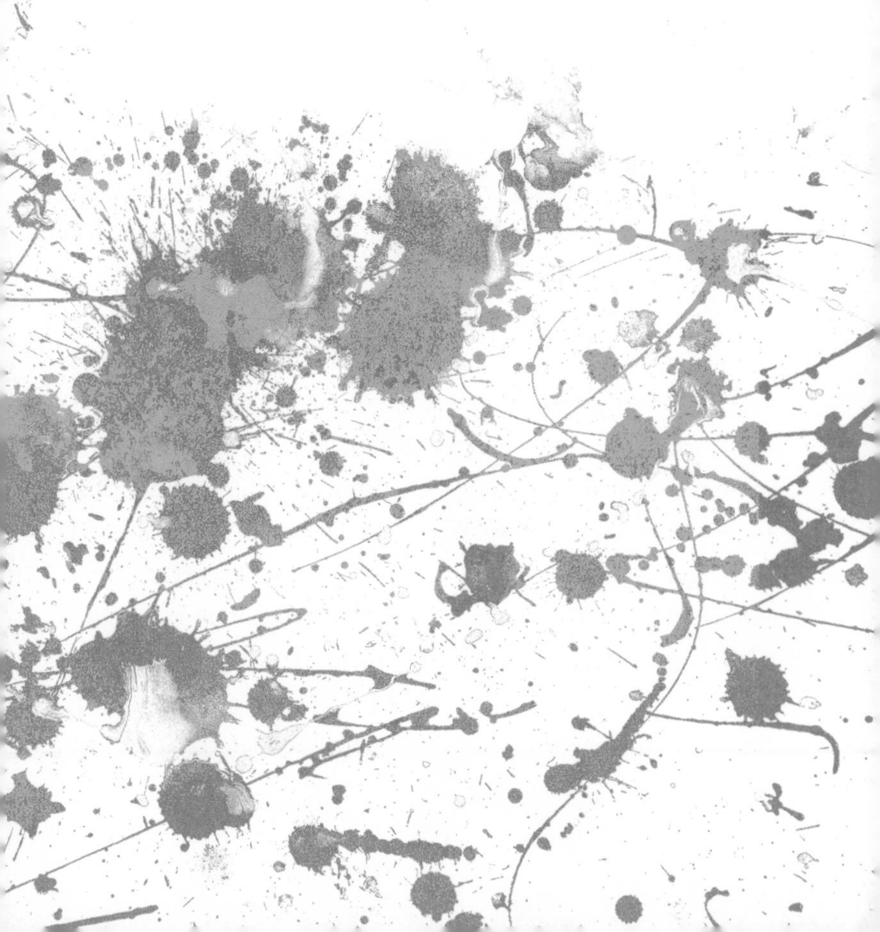

WARUM IST ZEITGENÖSSISCHE KUNST SO SCHWER ZU VERSTEHEN?

Wir kennen das aus der Schule: Es war verhältnismäßig leicht, sich einen Überblick über die Kunst der Klassischen Moderne zu verschaffen. Wie an einer Perlenkette reihten sich die griffig paukbaren Bezeichnungen der verschiedenen aufeinanderfolgenden Stile vor dem geistigen Auge auf – Expressionismus, Kubismus, Surrealismus ... Wer diese Abfolge auswendig gelernt hatte, konnte im Kunstunterricht glänzen oder die Verwandtschaft vom Lande beeindrucken. Doch heute gibt es keinen einheitlichen Zeitstil, kein vorgeschriebenes Regelwerk mehr, wie Kunst geformt sein sollte. Früher existierten nur die drei großen künstlerischen Gattungen Malerei, Bildhauerei und Architektur, heute steht den Künstlern eine schwer überschaubare Fülle an Stilen, Medien und Techniken zur Verfügung. Viele Künstler mischen diese ungeniert und arbeiten gattungsübergreifend. Diese Vielfalt ist erst einmal verwirrend.

Derzeit gibt es weltweit fast 20.000 professionelle Galerien, 22.000 Kunstmuseen, 1.500 Auktionshäuser und jährlich dutzende von Kunstmessen. Hunderttausende auf dem ganzen Globus malen, zeichnen, fotografieren, filmen und modellieren. Man glaubt fast, die Welt sei ein Spielplatz mitteilungswütiger Kreativer geworden. Erschwerend kommt hinzu, dass sich viele Kunstwerke auf die Kunstgeschichte selbst beziehen, auf die Kunsttheorie oder andere Wissenschaften verweisen. Sie lassen ein spontanes Verstehen ohne Hintergrundwissen kaum mehr zu. Viele Kunstwerke zitieren, persiflieren und variieren ältere Kunstwerke. Nur wenn man die Vorgänger kennt, weiß man das zeitgenössische Werk zu schätzen. Andere Arbeiten, vor allem aus dem Bereich der Konzeptkunst, beschäftigen sich mit philosophischen Fragen und versuchen, sie mit mehr oder weniger ästhetischen Mitteln zu illustrieren. Ob ihnen das gelingt, wird man ohne entsprechendes Expertenwissen nicht beurteilen können. Trotzdem ist es

■ Blamage für den Museumsdirektor: Andy Warhol, *Brillo Box*, 1964

möglich, in diese fremde Welt der zeitgenössischen Kunst einzutauchen, ohne gleich die Orientierung oder den kritischen Kopf zu verlieren. Viele haben hier schon den Anschluss verpasst und schauen sich ausschließlich die Kunst vergangener Jahrhunderte an. Leider erliegen sie häufig dem Trugschluss, je älter die Kunst, desto einfacher sei ihr Konsum. Denn auch die Schinken von Rembrandt, Rubens und Raffael haben es in sich. Zwar erkennt man sofort, was abgebildet ist, doch stehen die Chancen, sich vor den Gemälden der Alten Meister gründlich zu blamieren, fast ebenso gut wie bei moderner Kunst. So ist zum Beispiel nicht überall Rembrandt drin, wo Rembrandt draufsteht. Schüler und Fälscher haben fleißig mitgemalt. Und so kann es passieren, dass mancher voller Ergriffenheit vor dem falschen Bild verharrt.

KUNST ODER MÜLL?

Welche Missverständnisse moderner Kunst innewohnen, illustrieren kleine Zwischenfälle wie jener im Jahr 1969: Das Kunstwerk *Badewanne*, eine von Joseph Beuys mit Schmieröl und Heftpflastern verzierte Kinderbadewanne, wurde damals in Leverkusen ausgestellt. Im gleichen Gebäude tagte die SPD-Ortsgruppe, die die Wanne dankbar zum Bierkühlen nutzte, nachdem sie von Putzfrauen gründlich gereinigt worden war. Es kam zum Prozess, und dem privaten Leihgeber wurden schließlich 180.000 DM Schadensersatz zugesprochen. Ein anderes Beispiel: Als ein Kunstwerk von Andy Warhol, die *Brillo Box* – eine Nachbildung eines Verpackungskartons für Topfkratzer –, für eine Ausstellung nach Kanada transportiert wurde, verlangte der kanadische Zoll eine Gebühr für Handelsgüter und wollte keine Zollbefreiung für eine Originalplastik gelten lassen. Der damalige Leiter der kanadischen Nationalgalerie pflichtete den Zollbeamten nach Sichtung von Fotos des Kunstwerkes bei und blamierte sich vor der ganzen Kunstwelt.

In Ausstellungen zeitgenössischer Kunst kommt immer wieder die Frage auf, was manche dort ausgestellten Alltagsgegenstände oder Basteleien zu Kunst macht. Wir verraten Ihnen eins: Manchmal weiß es auch der Kunstexperte nicht. Im Gegensatz zum Otto-Normal-

Betrachter ist er vielleicht nur geübter darin, seine Ratlosigkeit hinter Wortkapriolen zu verbergen und anderen ihre Unwissenheit um die Ohren zu hauen. Das Sprechen über Kunst ist eine Kunst für sich: Manchmal hat man den Eindruck, je armseliger das Kunstwerk ist, desto schlauer und großartiger tönt die Lobeshymne. So kann sich für den eilfertigen Vernissagenredner in einem Haufen Gerümpel »eine Auseinandersetzung mit der Mythisierung des Alltäglichen« offenbaren.

Formale Stimmigkeit, handwerklich-technische Meisterschaft und ein ausgewogenes Verhältnis von Ordnung und Komplexität haben den traditionellen Werkbegriff geprägt. Diese klassischen Kriterien, die Kunstwerke von anderen Gegenständen zu unterscheiden helfen, haben seit dem Beginn der Moderne ausgedient. Trotzdem sollte man sie kennen! Hinzu kam in früheren Zeiten die Einordnung der Kunst in altehrwürdige akademische Kategorien. Dieses gute alte Handwerkszeug zur Kunsterkennung können Sie vielleicht hier und da noch in der Volkshochschule erlernen – in der Kunstwelt von heute gewinnt man damit keinen Blumentopf mehr. Wem das zu akzeptieren schwerfällt, sollte sich vor Augen führen, dass in der Musikgeschichte die Bewertungskritierien mindestens genauso gründlich auf den Kopf gestellt wurden. Einen Musiker mit den Gesangsqualitäten eines Mick Jagger hätte Queen Elizabeth I. noch vom Hof jagen lassen, statt ihn zum Ritter zu schlagen. Aber der Vergleich hinkt natürlich: Die althergebrachte Ästhetik des Gefallens, die der Erbauung königlicher oder bürgerlicher Kunstfreunde diente, ist passé.

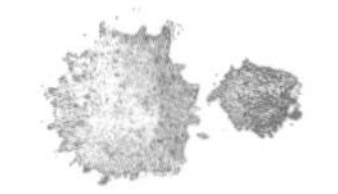

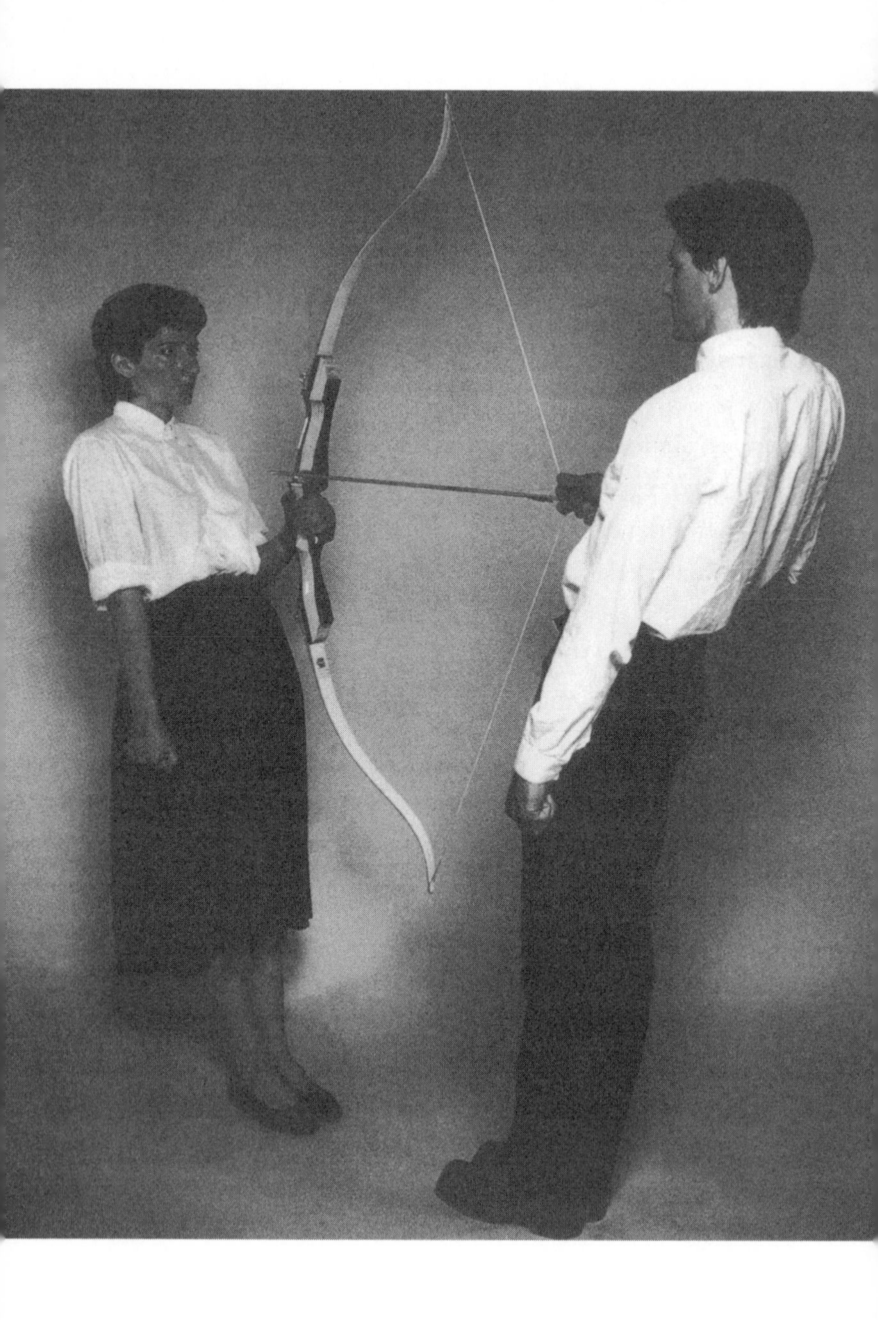

■ Beziehungsprobleme fehl am Platz: Marina Abramovic und Ulay bei der Performance *Rest Energy*, 1980

KUNST, DIE PROVOZIERT

Gewagte ästhetische Experimente sollen seit den 1960er Jahren verstören und zum Nachdenken anregen. Die Provokation scheint die letzte Möglichkeit der zeitgenössischen Kunst zu sein, im Konzert der Massenmedien noch Gehör zu finden. So etablierte sich die umstrittene Maxime: ›Gute Kunst muss weh tun!‹ Als die Künstlerin Marina Abramovic 1966 während einer Performance eine Reihe verschiedener Gerätschaften vorlegte, darunter ein Messer und einen geladenen Revolver, und dem Publikum erlaubte, diese Dinge an ihr zu benutzen, weckte diese Aktion so starke Aggressionen, dass die Situation zu eskalieren drohte. Der Einsatz des Revolvers konnte im letzten Moment verhindert werden.

In der Gegenwart sind es Künstler wie Jake und Dinos Chapman, die das Publikum provozieren wollen. Ihre verwachsenen Kindergruppen mit Penisnasen und Anusmündern stellen viele Menschen beim Ausstellungsbesuch auf eine harte Bewährungsprobe. Mittlerweile ist es eine billige Masche geworden, mit der sich schwache Künstler im Doppelpass mit skandalgierigen Medien regelmäßig ein Publikum verschaffen können: Man verletze ein paar sexuelle und religiöse Tabus, drehe den Gewaltdarstellungsregler bis zum Anschlag auf, streue ein bisschen Nazi-Ästhetik ein und schicke dann voller Elan tonnenweise Presseerklärungen raus – ganz sicher wird sich jemand, der sonst nicht im Traum an Kunst interessiert ist, lauthals beschweren. Nun rufe man selbst mit noch mehr Elan »Zensur!« oder »Die Freiheit der Kunst ist in Gefahr!« ...

Ein weiteres Credo setzte sich seit den 1960er Jahren in der Kunstwelt durch: ›Raus aus dem Museum!‹ Das steht im Widerspruch zur Geschäftsperspektive jedes bildenden Künstlers, es mit den eigenen Werken und möglichst zu Lebzeiten bis ins Museum zu schaffen. Dafür ist mittlerweile so mancher Umweg nötig. Besonders authentisch und wirksam soll die Kunst in der alltäglichen Lebenswelt sein,

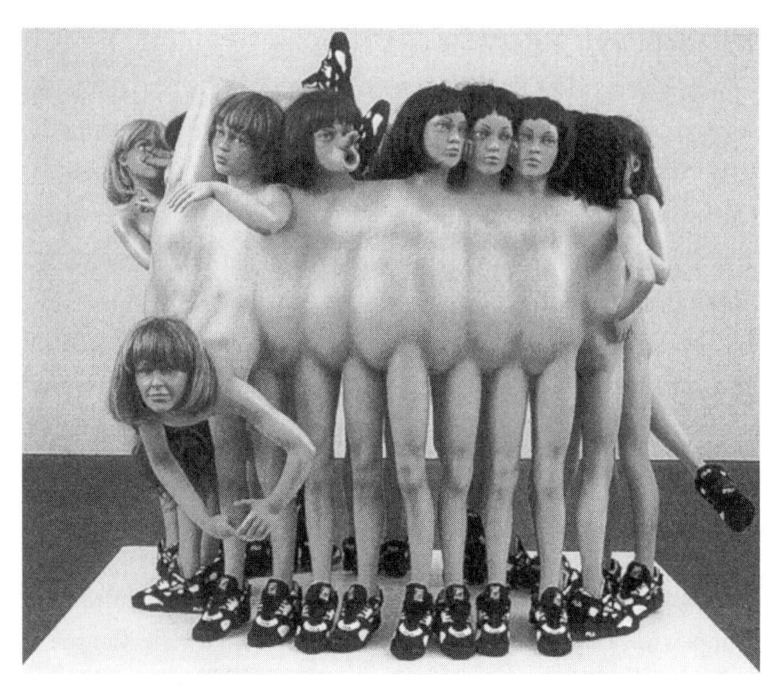

■ Bedingt als Einrichtungsgegenstand geeignet – Jake und Dinos Chapman, *Zygotic Acceleration*, 1996

weil sie sich dort einen gewissen Überraschungsfaktor versprechen kann und nicht auf ein abgeklärtes Galeriepublikum trifft, das bereits künstlerische Interventionen aller Art ertragen hat. Ein Theaterstück erzielt bekanntlich ganz andere Effekte, wenn es in einer vollen U-Bahn gespielt wird, anstatt vor gelangweilten Theaterabonnenten, für die das So-tun-als-ob verabredete Grundlage der Veranstaltung ist.

Viele zeitgenössische Künstler knüpfen daran an, auch wenn der Verdacht schwer auszuräumen ist, dass Aktionen dieser Art mehr der Selbstbeweihräucherung dienen, als zu einer fruchtbaren Begegnung mit Kunst zu führen.

VERSTAUBT ODER VITAL? MALEREI HEUTE

Greifen wir uns erst einmal eine solide Axt, um Sichtachsen ins Dickicht der Kunstproduktion zu schlagen. Dazu sind die guten alten Gattungsbegriffe unverzichtbar. Zunächst die klassischen Disziplinen Malerei und Plastik. Daneben haben sich Fotografie und Video in den vergangenen Jahrzehnten als künstlerische Medien etabliert, die Performancekunst nicht zu vergessen. Schwerer greifbar sind Kunstwerke, die sich auf den Raum, besonders den sozialen und öffentlichen Raum beziehen.

Schon hundertmal für überholt und tot erklärt, behauptet sich die Malerei immer wieder aufs Neue. In früheren Jahrhunderten war sie die Königsdisziplin der Künste. Die Alten Meister tauchen hier auf: Leonardo da Vinci, Rembrandt van Rijn, Jan Vermeer. Die Moderne ist untrennbar mit den Namen Henri Matisse, Vincent van Gogh und Pablo Picasso verbunden. Fragt man heute jemanden nach seiner spontanen Meinung zu den berühmtesten Künstlern oder Kunstwerken, werden aller Wahrscheinlichkeit nach die Namen von Gemälden oder Malern fallen. Das Kunstwerk mit dem weltweit höchsten Bekanntheitsgrad ist wohl da Vincis Gemälde der Mona Lisa.

Neben dieser ehrwürdigen Kulturtradition ist die Malerei auch im Ausstellungsbetrieb und Kunsthandel der Gegenwart bestens vertreten. Regelmäßig begegnet man Namen wie Cy Twombly, Gerhard Richter, Sigmar Polke, Robert Rauschenberg. Und immer wieder kommen neue Maler hinzu, wie zum Beispiel Marlene Dumas, Peter Doig oder Luc Tuymans. Malerei lässt sich leicht ausstellen und gut verkaufen. Sie hat vor allem den Charakter eines begehrten Unikats und sieht auch im eigenen Wohnzimmer gut aus. In den letzten Jahren hatte Malerei wieder einmal Hochkonjunktur. Erneut machten junge Künstler aus Deutschland von sich reden, die diesmal unter dem Markennamen ›Leipziger Schule‹ internationale Anerkennung fanden. Neo Rauch mit seinen Bildern im Stil eines magischen Realismus, der sich aus Elementen der sozialistischen Bildwelt, aus Parolen und Landschaften zusammensetzt, hat den Ton vorgegeben. Findige Galeristen und Kulturpolitiker begannen, ihre Schützlinge als *Young German Artists* in den USA zu vermarkten.

Der Trend-Künstler Daniel Richter, selbst im Fahrwasser des britischen Malers Peter Doig unterwegs, hinterließ nach seiner einjährigen Tätigkeit an der Berliner Universität der Künste eine breite Spur von Nachahmern. Wer hätte vor einigen Jahren gedacht, dass Malerei zum Massensport würde? So sagt der Leipziger Star Neo Rauch: »Malerei war out in den 1990ern, Neue Medien dagegen der letzte Schrei. Wer trotzdem weitermalte, war der dicke Junge, mit dem niemand spielen wollte. Es war einfach unsexy.« Ein Blick zurück in die Akademien Mitte der 1990er Jahre macht es deutlich: Man hatte Schwierigkeiten, Kunststudenten zu finden, die überhaupt noch malen wollten. In den Akademieklassen saßen Nachwuchskünstler, die noch mit Bewerbungsmappen voller Gemälde zugelassen worden waren und nun verzweifelt mit Video, Objekten, Installationen, Zettelwirtschaften und Fotografie herumexperimentierten. Wenn gemalt wurde, dann nur noch als ›ironische Geste‹, als Spiel mit dem vermeintlich gestrigen Medium. Für die Unbelehrbaren, die sich ernsthaft und trotzig an Pinsel und Leinwand festhielten, sah man über kurz oder lang schwarz auf schwarz. Heute, unter dem starken Eindruck des Malereibooms der letzten Jahre, wird in den Kunsthochschulen wieder fleißig der Pinsel gequält. Dabei ist es nur eine Frage der Zeit, bis die Malerei wieder den Gang ins Kellergeschoss antritt und dann vielleicht die Bildhauer und Fotokünstler abräumen.

Jahrhundertelang waren Malerei und Bildhauerei fest eingebunden in die Gesellschaft; die Künstler galten als Handwerker, die in Zünften organisiert waren. Eine künstlerische Freiheit, wie wir sie heute kennen, gab es nicht. Die Auftraggeber und die sozialen sowie technischen Regeln des Handwerks bestimmten die Entstehung, die

■ ›Anklopfen!! Dann warten bis geöffnet wird!‹ liest man auf seiner Ateliertür – Neo Rauch, *Malerei*, 1999

Symbole und den Inhalt des Bildes oder der Skulptur. Kunst war oft nichts weiter als Propaganda für Fürsten oder Bischöfe. Ein Gemälde war wie ein Spiegel, in dem sich die porträtierten Betrachter wiedererkennen konnten, oder wie ein Fenster, durch das man den Ausblick auf einen Teil der realen Welt genießen konnte. Das ist auch heute noch das, was viele von einem Bild erwarten. Doch die moderne Kunst ist in eine ganz andere Richtung gegangen.

MALEREI ALS DENKSPORT

Verstärkt nach 1945 wandten sich viele Künstler von gegenständlichen Darstellungen ab. Selbst der ins Dekorative hinüberspielende Abstrakte Expressionismus eines Jackson Pollock war einigen Künstlern noch nicht radikal genug. Sie wollten nicht nur weg von einer illusionistischen Malerei, sondern lehnten jeden leicht konsumierbaren geistig-expressiven Gehalt von Kunst als unwahr ab. Ihnen kam schon das gefühlige Schwelgen in den Wogen der Farbe reaktionär vor. Ihr Pate war dabei der russische Avantgardist Kasimir Malewitsch mit seinem berühmtesten Gemälde: *Schwarzes Quadrat auf weißem Grund.* Hier knüpften die Künstler in den 1950er Jahren an. Ihr Ziel war das reine Kunstwerk: kein Abbild, kein Inhalt, kein Symbolgehalt, kein Verhältnis zu einer Welt außerhalb des Bildes. Ihre Gemälde repräsentierten nur sich selbst als hergestellten Gegenstand und die Malerei als materiellen Prozess. Das Werk verweigerte sich der Funktion als Fenster oder Spiegel, seine Oberfläche verschloss sich, wurde undurchsichtig. Die monochromen Bilder einer Agnes Martin, eines Ad Reinhardt oder Robert Ryman kündeten allein von den Bedingungen der Malerei: Bildträger, Farbe, Binder, Lösungsmittel, Pinsel, Bildformat, Malverfahren, Bewegungsverlauf, Textur. Es waren autonome Arbeiten, deren Betrachtung Ruhe und Einfühlung verlangte. Das Spiel machte jedoch ein Großteil des Kunstpublikums nicht mit. Viele

Betrachter dieser monochromen oder analytischen Malerei litten unter dem Mangel an konsumierbarem Inhalt, und manche wurden sogar handgreiflich: Im Oxforder Museum of Modern Art beschädigte 1977 eine Besucherin die weiße, monochrome Leinwand der Malerin Jo Baer, indem sie ihren Mund darauf setzte und einen Abdruck des Lippenstiftes hinterließ. Sie erklärte bei ihrer Vernehmung, sie habe das Bild als kalt empfunden und es aufheitern wollen. Abstrakte, monochrome Malerei provoziert und kann psychisch labile Menschen sogar verängstigen. Eine Ahnung davon trägt ein Werk von Barnett Newman bereits im Titel: *Who is afraid of Red, Yellow and Blue IV* (Wer hat Angst vor Rot-Gelb-Blau). Das Gemälde wurde 1982 in der Berliner Nationalgalerie von einem verwirrten Studenten attackiert. Nach der Tat gab der Täter zu Protokoll, er habe sich bedroht gefühlt. Eine Flut von Leserbriefen und Zuschriften an die Nationalgalerie folgte dem Skandal. Viele zeigten Verständnis für den Täter, ein Malermeister bot an, das abstrakte Gemälde durch einen Lehrling wiederherstellen zu lassen – zu einem winzigen Bruchteil des Preises.

DIE ÖDNIS DES MINIMALISMUS

Der Eindruck von Leere und provokanter Inhaltslosigkeit geht auch von den Objekten dieser Minimalismus genannten Kunstrichtung aus, die sich in der Gattung der Bildhauerei ansiedeln lassen. Künstler wie Donald Judd und Robert Morris entwarfen abstrakte Objekte in reduzierten, geometrischen Formen, oft aus industriell vorgefertigten Elementen. Ihr Ziel war, alles auszuschließen, was vom reinen Kunstwerk ablenkte: Der künstlerischen Entschlackung fiel nicht nur die persönliche und handwerkliche Handschrift des Künstlers zum Opfer. Auch der mögliche Inhalt des Kunstwerkes wurde getilgt. Angestrebt war, das Objekt unmittelbar und als Einheit auf den Betrachter wirken zu lassen.

Der Sammler Graf Giuseppe Panza di Biumo kaufte zahlreiche Werkskizzen von zeitgenössischen Künstlern mit der Option, sie später ausführen zu lassen. So schloss er 1974 mit Donald Judd einen Vertrag. Gelegentlich kam Judd nach Italien, um die Entwürfe umzusetzen. Diese Reisen wurden Panza aber zu teuer, sodass er italienische Handwerker zur Ausführung der Plastiken engagierte. Doch nun protestierte Judd gegen diese Schlamperei, wie er es nannte: »Of course, the ones built by others are not my pieces! (Das sind natürlich keine Werke mehr von mir!)«. Ganz offenbar hielten minimalistische Künstler, die doch alles daran setzten, eine individuelle Handschrift aus den Kunstwerken zu tilgen, am persönlichen Werk fest und reagierten sehr empfindlich, wenn anonyme Handwerker die Objekte ausführten.

Heute wirken die industriell hergestellten, glatten Würfel und Kisten aus Metall oder Kunststoff oft öde und belanglos. Am Beispiel der Minimal Art sehen wir, dass Kunstwerke, die zwar in der Kunstgeschichte einen wichtigen Platz haben, in der Gegenwart häufig ästhetisch nicht überzeugen und das Publikum möglicherweise nie überzeugt haben. Wir können die Idee dahinter verstehen, aber sinnlich nachvollziehen können wir ihren Status als große Kunstwerke nicht mehr. Die Arbeiten sind eigentlich Illustrationen der Ideengeschichte, die ihnen zugrunde liegt. Wer diesen historischen Zusammenhang nicht kennt und nur die minimalistische Plastik oder das monochrome Gemälde vor sich sieht, dem fällt es naturgemäß schwer, das Kunstwerk prinzipiell von Möbeln, Rohrleitungen oder Lüftungsklappen zu unterscheiden. Große Gefühle kommen bei dieser Kunst nicht auf, es sei denn, es packt einen die Wut darüber, wie leicht diese teuren Kunstwerke zu produzieren sind, die vielen einfarbig bemalten oder lackierten Flächen, die einfach oder industriell produzierten Objekte, die billigen Materialien. Reflexartig kommt der Gedanke auf: Das hätt' ich auch gekonnt!

Die Kühle und Glätte der abstrakten Malerei rief natürlich immer auch eine Gegenbewegung hervor: eine Sehnsucht nach Gefühl und Sinnlichkeit, ein Bedürfnis nach schillernden Künstlerpersönlichkeiten und pittoresken Malerfürsten. In der Bildhauerei gewann die körperliche Auseinandersetzung mit dem Material ebenfalls wieder an Gewicht: Auf Stein und Holz wurde wieder kräftig eingehauen. Die figurative, expressive Malerei brachte Stars wie Georg Baselitz, Jörg Immendorff oder A.R. Penck hervor, und die im Osten scheinbar eingemauerte DDR-Malerei mit ihren Spitzenvertretern Bernhard Heisig und Wolfgang Mattheuer ist heute einflussreicher, als man je gedacht hätte.

Die breite stilistische Vielfalt heutiger Malerei zeigt sich in Form von abstrakter oder ornamentaler Wandmalerei, Farbfeldmalerei und Malerei geometrischer Strukturen, figürlichen oder comicähnlichen Darstellungen. Abstrakte Farbflächen kombiniert man mit naturalistischen Bildelementen und altmeisterliche Technik mit reliefartigen Flächen. Daneben gibt es die Erben klassischer figürlicher Malerei des Hyper- und Fotorealismus, schließlich poppig surreale Adaptionen sozialistischer Propagandakunst.

WIEDER SCHWER IM KOMMEN: BILDHAUEREI

Hier bietet sich ein ähnliches Bild: Anything goes. Die Bildhauerei greift heute auf alle natürlichen und industriellen Materialien zurück – Abfall und Biomüll inklusive. Kein Wunder, dass es schon ein Unternehmen gibt, das Sperrmüll sammelt und Künstlern als Rohstoff zur Verfügung stellt. In den 1970er Jahren sortierte der britische Künstler Tony Cragg Plastikmüll nach Größe und Farbe, um daraus bunte figurative Schattenrisse auf Wand und Boden auszubreiten. Cragg war einer der Bildhauer, die unter dem Label *New British Sculpture* gehandelt wurden.

Es gibt alle denkbaren Stufen von Realitätswiedergabe und Abstraktion: hyperrealistische Menschenskulpturen aus Kunststoff, Tierpräparate, lebende Tiere, ganze Interieurs aus Polyurethan. Kunststoffe wie Polyester sind beliebte Materialien für Figuren und abstrakte Objekte. Pawel Althamer näht Menschenfiguren aus Tierhäuten zusammen und erzielt damit einen schaurigen Frankensteineffekt. Mit dem Boom der *Young British Artists* wurden die Chapman-Brüder mit ihren grotesk-obszönen Figuren *Tragic Anatomies* bekannt. Ron Mueck war lange Requisiteur im Dienst des australischen Fernsehens, baute Puppen für die Muppetshow und die Sesamstraße, bevor er als Künstler mit täuschend echten übergroßen oder verkleinerten Menschenskulpturen bekannt wurde.

Der amerikanische Superstar Jeff Koons ist für perfekt produzierte Adaptionen vorzugsweise kitschiger Alltagsgegenstände bekannt. Sein in Edelstahl gegossener *Rabbit* gilt als Ikone der 1980er Jahre – zumindest in der Kunstwelt. Es ist die Kopie jenes aufblasbaren Kaninchens mit Karotte, das schon damals die ungeliebte Schießbudentrophäe wenig treffsicherer Kirmesbesucher war. Koons Ehrgeiz in der Aneignung von Banalitäten ging so weit, dass er den ungarisch-italienischen Pornostar Ilona Staller alias Cicciolina heiratete und ihren ehelichen Geschlechtsverkehr in diversen Werken feierte. Natürlich blieb das nicht ohne Folgen. Nicht nur, dass ein erzürnter Ausstellungsbesucher eine der Arbeiten auf der Biennale von Venedig Anfang der 1990er Jahre attackierte. Das Paar, das sich mittlerweile in einem mediengerechten Rosenkrieg trennte, zeugte zudem einen Sohn, den der Künstler in einem Interview als »biologische Skulptur« bezeichnete.

Doch auch die klassischen Bildhauertechniken haben unverändert ihre Akteure: Plastiken aus Holz, Bronzegüsse, Stein- und Stahlskulpturen. Alles, was zum dreidimensionalen Gestalten taugt, findet Verwendung: Thomas Rentmeister verspachtelte Kühlschranktürme mit Nivea und kippte eine Tonne Nutella in den Kölner Kunstverein. Es gibt aus Blut gegossene, tiefgefrorene Plastiken, abgesaugtes Fett aus dem Abfall von Schönheitskliniken als Wandgestaltung, selbst ein totes Ungeborenes wurde schon künstlerisch verwurstet. Bildhauerei kann auch die Grenze zur Architektur überschreiten. Ein Pionier war dabei Gordon Matta-Clark, der in den 1970er Jahren Abbruchhäuser als Material für Skulpturen nutzte: Er sägte ganze Häuser entzwei oder schnitt geometrische Figuren heraus. Rachel Whiteread füllte 1993 ein dreistöckiges Abbruchhaus im Londoner East End mit Beton, ließ die Außenmauern abtragen und kam so zu einer plastischen Abbildung des Hohlraums. Dem Künstler Gregor Schneider wurde von seiner Familie ein schäbiges kleines Mietshaus im rheinländischen Städtchen Rheydt überlassen. Schneider baute das Haus jahrelang um, wofür er Material in den Abbruchhäusern des naheliegenden Braunkohletagebaus Garzweiler fand: Er konstruierte doppelte Wände und Böden, Treppen, Türen und Gänge, die ins Nichts führen und schalldichte Kammern, die unangenehm an Verstecke für Entführungsopfer erinnern. Für sein gruseliges *Totes Haus ur* erfand er sogar eine Mieterin namens Hannelore Reuen, die als *Alte Hausschlampe* bei Performances reglos auf dem Boden liegen musste. Effektheischende Plastiken produziert der Italiener Maurizio Cattelan. Mal sind es ausgestopfte Tiere, mal lebensechte Menschenattrappen. Seine bekannteste Arbeit ist wohl *La nona ora* (Die neunte Stunde) – eine Darstellung des von einem Meteoriten erschlagenen Papst Johannes Paul II. An Mohammed traute er sich bisher noch nicht heran, auch wenn es seinem künstlerischen Prinzip entspräche, das er in einem Interview verriet: »Ich lasse mich lieber angreifen als ignorieren.«

Eine konzeptuelle Skulptur der besonderen Art fabrizierte Jochem Hendricks: In den letzten Wochen des Jahres 2000 ließ er seine Einkommensteuer für das ablaufende Jahr ermitteln. Von seinem

Gesamtgewinn kaufte er Gold und erklärte es zur Skulptur mit dem sinnfälligen Titel *Taxes*. Hendricks konnte es damit komplett als Arbeitsmaterial von der Steuer absetzen. Selten wird eine Steuererklärung so viel Spaß gemacht haben, denn auf diese Weise verwandelte sich die fällige Zahlung an den Fiskus in pures Gold, das im Besitz des Künstlers blieb. Die beiden britischen Musiker Bill Drummond und James Cauty hatten mit ihrer Band KLF in den 1980er Jahren ein Vermögen gemacht. Nach ihrem Rückzug aus dem Musikgeschäft spezialisierten sie sich auf spektakuläre Kulturguerilla-Aktionen. So präsentierten sie 1993 das Objekt *Nail to the Wall*, das aus 50-Pfund-Noten im Wert von einer Million Pfund bestand. Die Scheine waren an ein Brett genagelt und von einem Rahmen umfasst. Als Verkaufspreis waren 500.000 Pfund angegeben. Im Begleittext hieß es, der Käufer habe die Wahl, das Werk sofort auseinander zu nehmen und 500.000 Pfund Gewinn zu machen oder abzuwarten, bis der Wert des Werkes im Laufe der Zeit noch höher steige. Trotz dieser verlockenden Rendite fand sich für *Nail to the Wall* kein Käufer. Cauty und Drummond steigerten deshalb ihren Radikalismus im Folgejahr, als sie die eine Million Pfund auf einer abgelegenen schottischen Insel kurzerhand verbrannten: Eine ganze Stunde lang schaufelten sie Geldscheine ins Feuer. Heute bedauern die beiden ihren Aktionismus – offenbar sind sie wieder pleite.

FOTOGRAFIE UND VIDEO

Es gibt viele Wegbereiter der künstlerischen Fotografie, die mittlerweile als Klassiker gelten. Zum Beispiel der russische Künstler Alexander Rodtschenko, dessen außergewöhnlich grafische Perspektiven seines fotografischen Werkes seit den 1920er Jahren heute zu den bekanntesten Aufnahmen überhaupt gehören, und der Franzose Henri Cartier-Bresson, der seine Fotografie seit Anfang der 1930er

■ Woytila was not amused – Maurizio Cattelans *La Nona Ora* (Die neunte Stunde) von 1999 – eine Anspielung auf den Moment, bevor Jesus starb – brachte bei einer Auktion eine Million Dollar. Hat der Vatikan mitgeboten?

Jahre über die Reportage entwickelte. Oder die Amerikanerin Diane Arbus, die Mitte der 1940er Jahre in der Modefotografie begann und in den 1960er Jahren mit verstörenden Porträts gesellschaftlicher Außenseiter für Aufsehen sorgte.

Dennoch hat sich die Fotografie erst in den 1990er Jahren zum vollwertigen künstlerischen Medium gemausert. Als auf der documenta 6 im Jahr 1977 das erste Mal Fotografie als künstlerisches Medium ausgestellt wurde, gab es noch richtig Ärger. Ein Mitglied des Organisatorengremiums trat damals aus Protest zurück. Als Einstiegsdroge scheint die Fotografie besonders jungen und unerfahrenen Sammlern zu gefallen, strahlt sie doch Modernität und Technikfreundlichkeit aus. Große, wandfüllende Abzüge, auf dünne Aluminiumplatten kaschiert, ersetzen die alten Ölschinken und passen einfach besser zur minimalistischen Einrichtung. Zum Teil erreichen Abzüge zeitgenössischer Fotografen schon höhere Preise als die Gemälde zweitrangiger Alter Meister, die ja immerhin historische Unikate sind. Der Übergang von freien Produktionen professioneller Auftragsfotografen und den Werken von Künstlern, die mit Fotografie arbeiten, ist ein fließender. Wolfgang Tillmans ist nur ein bekanntes Beispiel dafür. Bis heute veröffentlicht der in London lebende Deutsche Fotostrecken in Magazinen. Gleichzeitig werden seine Fotos auf dem Kunstmarkt gehandelt. Auch David La Chapelle ist ein Fotograf, der sich nicht eindeutig zuordnen lässt. Als Fashionfotograf ist er bei *Vanity Fair* unter Vertrag, seine aufwändigen grell-surrealen Arrangements werden parallel als Kunstwerke in Galerien angeboten. Bei Fotografien, die auf dem Kunstmarkt gehandelt werden, sind niedrige Auflagen – in der Regel sechs Abzüge – und relativ lichtbeständige Ilfochrome-Prints geschützt hinter Glas üblich. Längst gibt es aber auch Fotoeditionen mit Auflagen im hohen dreistelligen Bereich – der Unterschied zum Poster liegt hier schlicht in der Qualität des Reproduktionsverfahrens.

INSZENIEREN ODER DOKUMENTIEREN?

Die inszenierte Fotografie verbindet sich mit Namen wie Cindy Sherman oder Thomas Demand. Sie setzen den zu fotografierenden Bildraum wie eine Bühne in Szene, erfinden Orte und kostümieren Figuren, bauen Architekturelemente und Kulissen auf. Demand nimmt Pressefotos wie etwa die Aufnahme von Saddam Husseins Versteck zum Anlass, die Örtlichkeit aus Papier nachzubauen und sie dann erneut zu fotografieren. Dagegen setzt die dokumentarische Fotografie auf eine sachliche Abbildung. Viele dieser Arbeiten erinnern an Sozialreportagen, so etwa Richard Billinghams Aufnahmen seiner arbeitslosen Eltern. Seine Arbeiten wirken im schicken Galerieambiente besonders absurd. Die Fotografie ist in der Kulturgeschichte häufig als Garantin des Realen gesehen worden. Sie scheint der Tradition unserer visuellen Kultur zu folgen, die erst vom perspektivischen Realismus der Renaissance und danach vom malerischen Realismus des 19. und 20. Jahrhunderts geprägt wurde. Sie kann archivierenden Charakter besitzen, wie etwa die Sammlung von Industriebauten von Bernd und Hilla Becher, oder ein subjektives Ziel haben. Davon abgelöst hat das Dokumentarische die Bedeutung einer künstlerischen Geste, eines Stilmittels erreicht. Die Bechers hatten als Professoren an der Kunstakademie Düsseldorf einige mittlerweile namhafte Schüler, wie Thomas Struth, Thomas Ruff, Andreas Gursky, Candida Höfer und den Kölner Boris Becker. Obwohl sie zum Teil sehr unterschiedlich arbeiten, werden Erstere vor allem in den Vereinigten Staaten unter dem Markenbegriff *Struffsky* gehandelt.

Mit dem Vordringen der Computertechnologie in alle Bereiche des Alltags wurde der dokumentarische Charakter der Fotografie allerdings schwer erschüttert. Auch wenn die Retusche, also das manuelle Nachbessern der Fotografie, schon immer elementarer Bestandteil dieser Technik war, lassen sich Fotografien nun digital bearbeiten. Damit entfalten sie eine illusionistische Kraft, die bislang der Malerei vorbehalten war. Immer häufiger wird das Zelluloid sogar ganz durch den elektronischen Speicher ersetzt. Daneben lassen sich mithilfe diverser Computerprogramme auch rein synthetische Bilder erzeugen – seien es nun sehr realistisch wirkende dreidimensionale Animationen, wie sie längst in unzähligen Hollywood-Filmen zum Einsatz kommen, oder zweidimensionale Computergrafiken, die meist über die Kombination verschiedener Funktionen der Bildbearbeitungssoftware Photoshop erreicht werden.

VIDEOKUNST – VON DER PROGRAMMSTÖRUNG ZUR MTV-ÄSTHETIK

Auch der Aufstieg der Videokunst zum voll akzeptierten Medium der Kunst dauerte seine Zeit. Sie tauchte zuerst in den 1960er Jahren auf. Der Künstler Nam June Paik produzierte Bilder durch elektronische Eingriffe ins Fernsehprogramm, das auch anderen Künstlern wie Wolf Vostell als unendlicher Bilderfundus diente. Paik legte kiloschwere Eisenmagneten auf die TV-Geräte und sorgte damit für solch starke Programmstörungen, dass nur noch abstrakte Schlieren auf dem Bildschirm zu sehen waren. Von Anfang an erstrebten Videokünstler keine Imitation der technischen Glätte des Fernsehens, was viele historische Videos mit ihren kräftigen Schnee- und Graupelschauern zur Zumutung für den inzwischen plasmabildschirmgewohnten Betrachter werden lässt. Die Verbreitung der Musikvideos durch die Fernsehsender sorgte für einen zweiten Innovationsschub dieser Kunstrichtung in den 1980er Jahren. Die ambitionierten Videoclips aufstrebender Popmusiker veränderten nicht nur die Sehgewohnheiten des Publikums, sondern inspirierten wohl auch so manchen Kunststudenten. Die Museen, die sich in den 1970er Jahren noch reserviert gegenüber der Videokunst zeigten, brauchten nach der Pleite mit der *Jungen Wilden Malerei* in den frühen 1980er Jahren

■ Sah in ihrer Kindheit ununterbrochen fern. Trotzdem ist was aus ihr geworden – Cindy Sherman, *Untitled Film Still #21*, 1978

wieder neue Impulse – die eine inzwischen herangereifte Videokunst lieferte. Die Entwicklung bezahlbarer Videobeamer ermöglichte es den Künstlern, endlich das beengende Gehäuse der Monitore zu verlassen und ihre Arbeiten auf Wände, Decken oder Fassaden zu projizieren.

Während in der Fotografie häufig das Bemühen zu erkennen ist, Geschichten zu erzählen und Botschaften zu verbreiten, sperrt sich die Videokunst geradezu dagegen, um ihren Charakter als eigenständiges Kunstwerk zu wahren und sich vom Kino abzugrenzen. Daher wurde sie bald zur Apparatekunst, zur Spielwiese für allerlei elektronische Tricks und interaktive Pointen. Weitere technische Neuerungen wie Digital Video weichen diese Abgrenzungsbemühungen zum Film aber mehr und mehr auf. Neben den schon genannten Pionieren sind auch aktuelle Videokünstler wie Pipilotti Rist und Matthew Barney weltbekannt. Barneys Filme sind surreale Hochglanzproduktionen mit Millionenbudget, die symbolüberladenen Heimattrailer der persisch-stämmigen US-Bürgerin Shirin Neshat glänzen vor allem durch ihre technische Brillanz, und Newcomer wie Miranda July nutzen ihr Netzwerk, um auch direkt in Hollywood

Kinofilme zu drehen. Das Problem der Videokunst aber war und ist ihre enge Anbindung an die Technik. Durch die permanente Innovation elektronischer Geräte wirkt die Kunst immer irgendwie veraltet.

In Sammlungen und Ausstellungen führt Videokunst meistens ein eher klägliches Dasein: Sie zwingt die Besucher, die lichten Ausstellungshallen gegen dustere, muffige Kabinen einzutauschen, um dort kryptische, technisch häufig unzureichend produzierte Filmloops zu betrachten. Wenn die Videos auf TV-Bildschirmen zu sehen sind, schaut kaum jemand für die Dauer des gesamten Films hin, weil man schließlich nicht zum Fernsehen in eine Ausstellung geht – da bewegt man sich doch lieber frei im Ausstellungsraum. Wer allerdings die Gelegenheit sucht, während des Museumsbesuchs unauffällig ein Nickerchen zu halten, findet in den Dunkelkammern der Videokunst reichlich Gelegenheit dazu.

KUNST OHNE WERK: PERFORMANCE UND AKTIONSKUNST

In den 1960er Jahren etablierte sich eine Kunstrichtung, die immer hart an der Grenze zum experimentellen Theater oder zur unfreiwilligen Komik entlangschrammte: die Performancekunst. Hier liegen die Einzigartigkeit und der Wert des Kunstwerks im unwiederbringlichen Augenblick der Aktion. Meist werden die Happenings in Film und Foto verewigt. Ihre Dokumentation im Museum ist eigentlich Verrat an der ursprünglichen Intention. Entsprechend fad wirkt sie, oftmals unverständlich und ästhetisch unbefriedigend. Die Performance war auch als Versuch zu verstehen, die Kunst zu erneuern, indem man sie dem Markt entzog: Hier gab es nichts zu kaufen, war kein Geld zu gewinnen. Heute ist dieser marktkritische Ansatz bei Performancekünstlern kaum noch festzustellen.

Die Trennung zwischen Kunstwelt und Alltag sollte aufgehoben werden, und bei der Wahl der Mittel war alles erlaubt, was vielen Performances den Charakter des Lächerlichen und Prätentiösen einbrachte. Vito Acconci tat sich dabei besonders hervor. *Seedbed* nannte er 1972 seine öffentliche Masturbation in New York. Er onanierte ganze zwei Wochen ›am Stück‹ und ließ sich dabei vom Galeriepublikum inspirieren. Seine damalige Galeristin Ileana Sonnabend ließ ihn gewähren. Als Acconci ihr sein Vorhaben vorstellte, erwiderte sie wie eine ratlose Mutter dem pubertierenden Sohn: »Vito, mach was du machen musst!«

VOLLER KÖRPEREINSATZ

Der amerikanische Künstler Chris Burden legte sich in den 1970er Jahren auf den Randstreifen eines befahrenen Highways, ließ sich auf der Kunstmesse in Basel die Treppe herunterstoßen und in einer Galerie in den Oberarm schießen. Was damals im Umfeld politischer Radikalisierung noch als aufsehenerregend galt, taugt heute allenfalls als Bewerbungsaktion für TV-Sendungen à la *Jackass* oder andere Formate, die für Zuschauer über 18 Jahre nur bedingt geeignet sind.

Die Beispiele zeigen, wie schwierig es ist, Kunst dem Geschmack nach zu beurteilen. Denn schließlich traten die Künstler mit ihren Happenings nicht auf, um dem Publikum zu gefallen. Die Provokation, die hasserfüllten Reaktionen waren ausdrücklich Sinn und Zweck von Aktionen, die vor allem neu, schockierend und authentisch sein sollten. Zu sagen, »bei deiner Performance haben sich alle amüsiert«, wäre ein tief beleidigender Kommentar für den Künstler gewesen. Diese radikalen Kunstformen waren aber ebenso Reaktion auf die Kunst, die sich gerade etabliert hatte. »Wir empfanden«, so Chris Burden, »einen Unwillen gegen den aufgeblähten Kunstmarkt der späten sechziger Jahre, als jemand weiße Bilder malte und sie wenige Monate später zehnmal mehr wert waren.« Manche Performancekünstler wie Marina Abramovic gingen mit ihren Aktionen bis an die Grenzen körperlicher Erschöpfung und Gefährdung. Radikal in der Wahl seiner Mittel war auch der Niederländer Bas Jan Ader, der von Bäumen sprang oder mit dem Fahrrad in Kanäle fuhr – eigentlich alles, was man unter dem Einfluss von psychoaktiven Pilzen anstellt. Seine letzte Performance war mysteriös: Er startete 1975 mit einem kleinen Boot von Irland aus eine Atlantiküberquerung *In search of the miraculous*. Man fand das Boot, aber der Künstler blieb verschwunden. Ertrank er oder lebt er irgendwo mit einer anderen Identität? Tragik oder PR-Trick? Sein filmisches und fotografisches Werk erfreut sich jedenfalls wachsender Wertschätzung. Von Aders Schicksal ließ sich Elke Krystufek inspirieren, eine Performancekünstlerin, die mit Selbstverletzungen und – herrje – öffentlichem Masturbieren für Schlagzeilen sorgte. In einer Arbeit lässt sie Bas Jan Ader wiederauferstehen: Sie zeigt den Verschollenen nach dem Erreichen der Osterinseln.

Nach wie vor versuchen manche Performancekünstler geradezu verzweifelt, Reaktionen des mehr oder minder freiwilligen Publikums zu provozieren. Das Tor zur clownesken Fußgängerzonenbelustigung oder zum verschärften Selbsterfahrungsevent ist dabei weit geöffnet. Der russische Künstler Oleg Kulik war in den 1990er Jahren berüchtigt dafür, dass er sich bei seinen nackt vorgetragenen Performances in einen bissigen Hund verwandelte und das belustigtschreckhafte Vernissagepublikum traktierte. Die Performance wirkte nicht weniger albern, nur weil er sich dabei auf eine frühere Performance von Joseph Beuys bezog, in der dieser tagelang mit einem Coyoten in den Galerieräumen in New York ausharrte (Tierschützer waren damals noch nicht so streng). Heute kann jede Art von Verhaltensstörung oder jede Art von Interaktion als Performance durchgehen – sofern sie in kunstverdächtigen Räumen ausgelebt wird. Dabei

■ Chris Burdens Performance *Shoot* von 1971: Der Künstler ließ sich von einem Freund in den Arm schießen, doch statt eines Streifschusses bekam Burden einen glatten Durchschuss verpasst. Heute lässt er es ruhiger angehen, die Sprüche hingegen sind noch immer markig: »Angeschossen zu werden oder auf Leute zu schießen – das ist in Amerika wie apple pie«

kann es für die Künstler auch schon einmal gefährlich werden, wie Filip Remunda und Vit Klusák, zwei Filmer aus Prag, erleben mussten: Monatelang schalteten sie eine professionelle Werbekampagne, um ihr Fantasieprodukt bekannt zu machen, einen neuen Billigsupermarkt namens Cesky Sen (Tschechischer Traum) in der Nähe von Prag. Am großen Eröffnungstag fanden die mit Kind und Kegel angereisten Kunden vor Ort nur ein buntes Riesentransparent an einer Baugerüst-Fassade vor. Die Schnäppchenjäger verstanden keinen Spaß. Die Künstler mussten flüchten – und hatten ihre spektakulären Bilder.

Ariel Orozco prüfte die Nervenstärke des Kunstpublikums in Havanna, indem er sich, auf den Schultern seines Vaters stehend, ein Schlinge um den Hals legte. Knickte der Vater ein, würde der Sohn sich strangulieren. Nach 27 Minuten griffen die entnervten Zuschauer ein, um den schwächelnden Vater zu entlasten.

Tino Sehgal versucht dem Materialismus und der Bilderflut des Kunstbetriebs ein anderes Konzept entgegenzusetzen: Wie ein Regisseur inszeniert er in Kunstmuseen Szenen, die von Statisten aufgeführt werden. Im leergeräumten Kunsthaus Bregenz ließ er Kinder herumtollen, die die Aufgabe hatten, die Besucher per Handschlag zu begrüßen und anschließend ihr Spiel ungerührt fortzusetzen. Die Kunstfreunde standen dann herum wie bestellt und nicht abgeholt. In anderen Räumen traf man auf Tanzende oder auf Personen, die immerfort die gleichen Sätze aufsagten und ihre Gesichter zur Wand drehten, wenn man ihnen zu nahe kam – Kunst ohne Werk, die den Betrachter unter Druck setzt, in Situationen hineinzwingt.

KOPFLASTIGE KONZEPTKUNST

Konzeptkunst – das klingt nach schwer verdaulicher Kost. Und tatsächlich ist sie in den Sammlungen der Museen auch das unbeliebteste Genre. Nachdem die intellektuellen Kritiker und Künstler beim Siegeszug der Pop Art links liegengelassen worden waren, rächten sich die Theoretiker mit Konzeptkunst und Minimalismus am Publikum und am Kunstmarkt. Während das Publikum bis heute leidet, hat der Kunstmarkt die einst sperrige Ware geschluckt. Viele dieser Werke erzielen Spitzenpreise. Allerdings ist das oberschlaue Hornbrillen-Image dieser Kunstrichtung oft wohlkalkulierte Selbststilisierung.

Minimalistische Kunst versucht, dem Betrachter den Ball mit der Frage ›Was ist Kunst?‹ zuzuspielen. Die grundlegende Idee dabei ist, dass Kunst erst im Betrachter entsteht, als Ergebnis von Erziehung, öffentlicher Diskussion und von Ideologie. Die Minimalisten wollten alle individuellen, emotionalen und handwerklichen Spuren im Werk tilgen. Häufig setzen sich Konzeptkünstler mit der gesellschaftlichen Wirkung und den wahrnehmungstheoretischen Bedingungen von Kunst auseinander. Sie verwenden dazu oft vollkommen unkünstlerische Mittel wie Tabellen, Landkarten, naturwissenschaftliche Modelle, Grafiken und natürlich viel Text. Manchmal aber auch gar nichts. Yves Klein irritierte sein Publikum, indem er die Pariser Galerie Iris Clert 1958 im Leerzustand eröffnen ließ. Elf Jahre später war es Robert Barry, der gar eine geschlossene Galerie in Amsterdam als Ausstellung präsentierte. Andere Ausstellungen jener Zeit fanden nur in Katalogform statt. Für Konzeptkünstler war es gar nicht mehr notwendig, überhaupt etwas Materielles zu hinterlassen: Für sie war schon die Idee allein ein Kunstwerk. So mancher Ausstellungsmacher, der einen Konzeptkünstler für ein Projekt engagiert hat, bekommt nicht mehr als ein Fax mit Anweisungen, die mehr oder weniger klarmachen, wie das Werk auszusehen hat. Mehr nicht. Im Falle eines namhaften Künstlers noch die Bankverbindung und einen Hinweis, ob der Meister höchstselbst zur Ausstellungseröffnung erscheinen wird. Der amerikanische Künstler Sol LeWitt, auf den der Begriff Concept Art zurückgeht, faxte einmal die Anweisung, dass ein Assistent mit schwarzem Stift »eine ungerade Linie oben quer über die Wand« zu ziehen habe. Mit drei weiteren Assistenten abwechselnd sollte er versuchen, die Linie jeweils knapp unterhalb der zuletzt gezogenen Linie zu kopieren. Während der Arbeit verstärkten sich Ungenauigkeiten und Ausschläge der verschiedenfarbigen Linien und ließen schließlich, als die ganze Wand bis unten hin ausgefüllt war, ein Muster mit landschaftsartigen Hügeln und Senken entstehen. Selten ist Konzeptkunst so hübsch anzuschauen wie hier.

Kunst als Erbsenzählerei

Viele dieser Konzeptkunstwerke können Sie getrost beiseite lassen, wenn Sie keine Lust haben, sich durch einen Wust von Diagrammen, Konstruktionsskizzen oder Zahlenkolonnen zu quälen oder sich von ausufernden Texten des museumspädagogischen Dienstes belehren zu lassen. Es gibt kaum jemanden, der sich vor den endlosen Zahlenreihungen und säuberlich gerahmten Tabellen einer Hanne Darboven, einst Schützling von Sol LeWitt, nicht schon gelangweilt hat. Es reicht, wenn Sie wissen, dass Künstler wie Darboven sich einem selbst entwickelten Konzept lebenslang verschrieben haben, und, wie in ihrem Fall, der zahlenmäßigen Erfassung von Zeit ihre ganze Aufmerksamkeit widmen. Im unermüdlichen Spiel der Quersummen von Daten kultiviert sie einen Ordnungswahn, den sie mit biografischen Details ihres asketischen Alltags garniert. In diesem Genre ist die glaubwürdige Versklavung des Künstlers an sein eigenes Konzept das wertsichernde Kriterium. Deshalb zählt hier nicht nur die Ausgangsidee, sondern vor allem der Rigorismus, mit dem sie verfolgt wird. Die Kunst selbst ist dann nur noch der materielle Nachweis für Fleiß und Fanatismus. So auch bei On Kawaras *Date-Paintings*. Seit dem 4. Januar 1966 schreibt der Künstler täglich das Datum des Tages nach einem festen Regelwerk auf eine monochrome Leinwand. Wer bisher noch nicht wusste, dass man die Zeit und manchmal auch die Kunst nicht begreifen kann, der macht diese Erfahrung spätestens mit On Kawaras Fleißarbeit *One Million Years* – ein maschinegeschriebenes Verzeichnis in zweimal zehn in Leder gebundenen Büchern mit den Jahreszahlen von 998.031 v. Chr. bis 1969 n. Chr. und von 1996 bis 1.001.995 n. Chr. Bis dahin haben wir gerade genug Zeit, um uns auch noch mit gattungsübergreifenden Techniken zu befassen:

■ Der Meister hat ein Fax geschickt: Ein Assistent führt Sol LeWitts Anweisungen für ein Kunstwerk aus. *Copied Lines* in der Stadtgalerie Kiel, 1995

ALLROUNDHANDWERK UND GARTENARBEIT: INSTALLATION UND LAND ART

Die klassische Präsentationsweise der Moderne findet im ›White Cube‹ statt und ist bis heute der Standard in den Galerien. Der leere, weißgestrichene Galerieraum dient als Isolierstation für die Kunst, um ihr die entsprechende Bedeutsamkeit und Würde zu verleihen. Das Kunstwerk hatte in früheren Jahrhunderten immer einen sozialen oder architektonischen Zusammenhang: in Kirchen, Klöstern, Herrscherpalästen – oft dicht nebeneinander gedrängt. Nun stand es allein, ohne Verbindung zum alltäglichen Leben. Rauminstallationen und Environments sollten in den 1960er und 1970er Jahren wieder einen sozialen Zusammenhang für künstlerisches Arbeiten knüpfen. Raumgreifende, den Besucher miteinbeziehende Kunstwerke sind mit den klassischen Gattungsbegriffen nicht zu fassen, da sie verschiedene Techniken einsetzen. Der Begriff Installation, Ende der 1960er Jahre erstmals von den Künstlern Bruce Nauman und Dan Flavin verwendet, zielt mehr in eine technisch-inszenatorische Richtung: Lichtspiele, mechanische Apparaturen, Kameras und interaktive Funktionen sind hier vorherrschend.

Unter dem Begriff der Land Art lassen sich im weitesten Sinn Interventionen von Künstlern in die Landschaft verstehen, bei denen die Natur nicht – wie in der Malerei – abgebildet wird, sondern selbst zum Medium der künstlerischen Gestaltung wird. Da kann es schon mal passieren, dass zur Erstellung raumgreifender Freiluft-Installationen auch schwere Geräte wie Bagger und LKW zum Einsatz kommen. Das Künstlerpaar Christo und Jeanne-Claude ist mit seinen notorischen Verhüllungsaktionen auch über die Kunstwelt hinaus bekannt geworden – eine sagenhaft primitive Idee, die ins Gigantische aufgeblasen wurde. Das Gesamtwerk des Duos ist mit 19 Projekten bisher recht überschaubar geblieben, dafür erklären sie kurzerhand selbst die langwierigen Genehmigungsverfahren mit den

Behörden zum Teil des künstlerischen Prozesses. 26 Jahre hat es beispielsweise gedauert, bis die beiden im Jahr 2005 den New Yorker Central Park mit über 7.500 großen, tuchbehangenen Toren schmücken durften. Doch Land Art muss nicht immer in gewaltigen Dimensionen und schon gar nicht mit einer boulevard-orientierten PR daherkommen. So arbeitet der Brite Andy Goldsworthy oft mit kleinen Eingriffen in die Natur abgelegener Orte, die oft nur wenige Stunden andauern. Dauerhaft zugänglich wird diese Kunst lediglich über Dokumentationen und Skizzen.

Ganz anders sieht das bei der Ambient Art aus. Sie kam in den 1990er Jahren auf und stellt den Erlebnis- und Wohlfühlfaktor von Installationen in den Mittelpunkt. Hier wird auf den Eigenwert von Kommunikation spekuliert. Um Künstler wie Rirkrit Tiravanija oder Angela Bulloch entwickelte sich zeitweise ein richtiger Hype. Sie produzieren skulpturale Möbel, Bar-Theken oder Spielgeräte wie Rutschen und Schaukeln – durchweg spektakelfreundlich und voll kompatibel mit moderner Erlebnisgastronomie. In diesem Zusammenhang versuchte sich auch die Neue Berliner Nationalgalerie einen frischen Anstrich zu verpassen und schrieb einen Preis für Junge Kunst aus, den die als Kunstrebellin gefeierte Monica Bonvicini 2005 mit der Installation *Never again* gewann – einer Schaukel aus schwarzen Ledergehängen, wie sie bisweilen in Sexclubs anzutreffen sein soll.

Raumbezogener Kunst waren bald keine Grenzen mehr gesetzt. Der Aufstieg eines Jason Rhoades hing mit der Kunstmarktflaute zusammen, die Anfang der 1990er Jahre herrschte. Projekte wie Rhoades' gigantische Installationen zertrümmerter Basketballplätze waren en vogue, galten als subversiv und ›marktresistent‹. Doch auch der kritische Ansatz von Rhoades' Lehrer Paul McCarthy endete im Laufe der Jahre im marktkonformen Gigantismus, bediente die Spektakelsucht des Kunstbetriebs. Es gehört zu den gepflegten Ritualen der modernen Kunst, dass die Kritik am Kunstbetrieb und dem Kunstmarkt auch in Kunstwerken selbst zum Thema wird. Die Kunstwelt begeistert sich immer wieder für diese Kritikkunst – und das umso mehr, je mehr Raffinesse oder gar politische Kontroversen in ihr stekken. Als hätte jemand einen Weg gefunden, wie man fasten kann ohne eine Mahlzeit auszulassen.

Oftmals dienen Großinstallationen als interaktive Erlebniszonen, zeigen Atelier-Innenwelten oder verschmelzen mit der Architektur. Manche Künstler setzen dabei auf die Überwältigungsstrategie, wie etwa die Kubanerin Tania Bruguera, die Besucher in einem dunklen Raum blenden lässt, während eine Hilfsperson im Hintergrund ein echtes Gewehr durchlädt. Gelegentlich beschleicht den Besucher solcher Ausstellungen das Gefühl, in die Versuchsanordnungen von der Kette gelassener Verhaltensforscher geraten zu sein – wenigstens erhält man (noch) keine Stromschläge für Fehlverhalten wie in dem berühmten Verhaltensforschungsexperiment von Milgram.

DIE WISSENSCHAFT ALS INSPIRATIONSQUELLE

Manchmal machen Künstler Anleihen bei den Naturwissenschaften oder der Biotechnologie. Hinterfragen sie dabei die Macht der Wissenschaften oder erliegen sie eher den faszinierenden bildgebenden Techniken einer fremden Sphäre? Der in Berlin lebende Däne Olafur Eliasson ist zurzeit prominentester Vertreter dieser Verbindung von Kunst und Wissenschaft. Wie stark hier schon aus dem Fundus der Kunst vergangener Jahrzehnte geschöpft wird, zeigt Eliassons Projekt *Green River*, das er 2000 in Stockholm veranstaltete. Mithilfe eines Verfahrens, das Meeresbiologen für Strömungsforschungen anwenden, färbte er die Gewässer der Stadt giftgrün. Nicolas Garcia Uriburu, in den 1970er Jahren als Mr. Green der Aktionskunst gefeiert, färbte seinerzeit auf ganz ähnliche Weise zahlreiche Wasserwege und bezichtigte Eliasson des Plagiats. Das ist sicherlich ein problematischer Vorwurf in einer Branche, wo das Adaptieren und Persiflieren berühmter Werke gang und gäbe ist. Mittlerweile schöpfen viele Künstler aus dem umfangreichen Repertoire an Materialien, Medien und Stilen, die früher schon Verwendung im Kunstkontext gefunden haben. Sie werden immer wieder Kunst von Newcomern sehen, die verdächtig an bereits Dagewesenes erinnert. Gehen Sie niemals davon aus, dass es sich um einen Zufall handelt! Künstler sind häufig genug Trendjunkies, nicht nur aufgrund eines stetig drückenden Kreativitäts-

■ Neuigkeiten von der Erotikmesse? Monica Bonvicinis Installation *Never again* gewann den Preis der Nationalgalerie für junge Kunst 2005. Verzinkte Stahlketten sind mittlerweile Bonvicinis Markenzeichen

Solls, sondern auch wegen eines chronisch leeren Geldbeutels. Der Belgier Wim Delvoye zum Beispiel scheint sich mal mit der Kunst der späten 1950er Jahre beschäftigt zu haben. Dabei gefiel ihm offenbar Piero Manzonis Idee von 1959, seine Exkremente in 90 Konservendosen zu verpacken und mit *Merda d'artista* zu etikettieren, genauso gut wie Jean Tinguelys Maschinen, die wild fuchtelnd Zeichnungen erstellen konnten – zwei Gesten des Spotts auf die hochtrabende Kunstwelt. Delvoye vereinte beide Ideen – Manzoni meets Tinguely – in einer riesigen, komplexen Maschine, die das menschliche Verdauungssystem simuliert. *Cloaca* sieht aus wie ein Wust aus Waschmaschinengehäusen, Rohren und elektronischen Bauteilen. Das Gerät wird mit ganz gewöhnlichen Mahlzeiten gefüttert und verarbeitet sie mithilfe menschlicher Bakterien zu Ausscheidungen, die auf einem Silbertablett landen. Damit hatte der Künstler effektvoll seine Duftnote als symbolischer Nestbeschmutzer der Kunstwelt abgegeben. Es gibt Kunstexperten, die sehen in Delvoye ernsthaft einen Seelenverwandten Leonardo da Vincis. Schließlich habe auch der auf geniale Weise Kunst und Wissenschaft zusammengebracht.

Wie ein roter Faden zieht sich die Frage der Avantgardisten durch die moderne Kunstgeschichte: ›Wie weit kann ich gehen, was lässt mir die Öffentlichkeit noch als Kunst durchgehen?‹ Die Kriterien, was als Kunst gelten kann, wurden in der zweiten Hälfte des 20. Jahrhunderts immer undeutlicher – und alles kann heute potenziell Kunst sein, wenn es erst einmal im professionellen Kunstbetrieb akzeptiert ist.

JEDER MENSCH IST EIN KÜNSTLER!

Das ist ein flotter Spruch von Joseph Beuys, der häufig missverstanden wurde. Sagt er damit, dass jetzt jeder eine mit Schmieröl und Heftpflastern verzierte Kinderbadewanne zur Kunst erklären kann? Wohl kaum. Beuys propagierte einen ›erweiterten Kunstbegriff‹, welcher alles Mögliche umfasst, was in irgendeiner Form ästhetisch behandelt werden kann – Fett, Filz, Fundstücke, aber auch die Politik. Vor allem meinte Beuys die Gestaltung der Gesellschaft: Ja, ein bisschen Größenwahn steckt hier schon drin – der Künstler erzieht und formt die Gesellschaft. Warum das? Die profitorientierte Konsumgesellschaft war Beuys zuwider. In seiner gesellschaftlichen Utopie würden die Menschen nicht mehr nach dem kapitalistischen Leistungsprinzip arbeiten, sondern würden vielmehr zu Künstlern einer gigantischen ›sozialen Plastik‹ – noch ein Begriff Beuysscher Prägung. Bis es soweit sein würde, bliebe es aber vorläufig bei auserwählten Künstlern wie Beuys, die mit ihren Werken therapeutisch auf die Gesellschaft einwirkten. Daher auch sein priesterhaftes Getue bei vielen Aktionen. Dass es dabei gelegentlich renitente Therapie-Patienten gab, ist klar. In der Aachener Universität bekam der Meister einmal einen Faustschlag ab, weil einige Studenten seinen Auftritt in der Aula missverstanden. Unverdrossen setzte er die Show mit blutender Nase fort. Legendär ist die Entfernung einer Beuys-Installation, der *Fettecke*, durch den Hausmeister der Düsseldorfer Kunstakademie im Jahr 1986, hämisch kommentiert von Zeitungen und Leserbriefen, die dem braven Mann gratulierten, »das einzig Richtige mit dem Mist« gemacht zu haben. Vieles im Konzept von Beuys war der Form nach politisch-pädagogische Aktion oder kulturelles Experiment. Provokation gehörte dazu. Er empfand es als produktiver, einen offenen, unsicheren Kunstbegriff mit der Realität zu konfrontieren, als einen gefestigten, affirmativen Kunstbegriff zu verteidigen. Beuys wurde in den 1970er Jahren ein wichtiges Vorbild für viele Künstler und ist es bis heute geblieben. Nicht wenige Künstler jedoch ließ das Beuysfieber kalt; so urteilte der DDR-Maler Wolfgang Mattheuer: »Ich habe kein Verständnis für Beuys. Ich bemühe mich redlich, aber ich finde keins.« Wem ging es nicht schon mal ähnlich bei der Betrachtung einer Installation von Beuys? Kaum ein Künstler war seinerzeit so umstritten wie Beuys, den viele Menschen mit traditionellem Kunstverständnis als Scharlatan empfanden und noch heute empfinden.

INDIVIDUELLE MYTHOLOGIE STATT REVOLUTION

Die Weltkriege und totalitären Systeme hatten vielen Künstlern die Lust am politischen Engagement genommen. Ihr Bedarf an Weltverbesserungsvorschlägen war gedeckt. Der Zusammenbruch des Realsozialismus gab den großen alten Ideologien den Rest. Manch einer reagierte darauf mit individuellen Welterklärungsversuchen, mit persönlichen Zeichensystemen und Symbolen. Der Ausstellungsmacher Harald Szeemann fand dafür 1972 den Begriff der ›individuellen Mythologie‹. Die Wortschöpfung ist zunächst ein Widerspruch: Mythologien werden durch Überlieferungen und Rituale im kollektiven Bewusstsein verankert. Die Mythologie eines Einzelnen ist demnach eine paradoxe Angelegenheit. Alle künstlerischen Gattungen sind hier beteiligt: Bildhauerei, Malerei, Installationen, auch Texte und Performances. Die individuellen Zeichensysteme, rituellen Räume, Kultstätten, Symbole, Gebete und Parolen reproduzieren oft eindrucksvoll einen Künstlerkult, der über jede Frage nach Struktur und Verständlichkeit des Werkes erhaben zu sein scheint. Manchmal liegt es nahe, diese ›individuellen Mythologien‹ als tragische Parodie auf gesellschaftliche Vorgänge zu betrachten. In jedem Fall finden hier egozentrische Selbstdarsteller und dilettierende Laienschauspieler ein wahres El Dorado vor.

■ Die Vernissagegäste mussten draußen frieren – Joseph Beuys, *Wie man einem toten Hasen die Bilder erklärt*, 1965

ANDY WARHOL: KÜNSTLER IST EIN BERUF WIE JEDER ANDERE

Warhol schien alles andere als die Revolution im Kopf zu haben. Ursprünglich hatten seine Werke, die Zeitungsfotos von Unfallopfern, Gangstern oder Hinrichtungsstätten reproduzierten, vielleicht auch einen subversiven Gehalt. Aber Warhol hatte nicht den Weltverbesserungsimpuls eines Beuys, stand nicht in prinzipieller Opposition zum ›American way of life‹. Seine Kunst, banale Motive wie Suppendosen zu reproduzieren, war superkapitalistisch und antikapitalistisch zugleich. Einerseits wurden seine Werke zur Superware, deren ökonomischer Wert in einem grotesken Verhältnis zum Materialwert und Arbeitsaufwand stand. Andererseits machte die Tatsache, dass seine Kunst dieselben Materialien und Produktformen wie die kapitalistische Wirtschaft benutzte, diese auf ihrem eigenen Terrain, dem der Spekulation und Ausbeutung, lächerlich.

Systematisch bezog er Alltagsmaterialien in die Kunst ein. Seine *Brillo Box* erschütterte 1964 das Selbstverständnis der Kunstwelt. Die Grenzüberschreitung zwischen Kunst und Werbung war bis dahin einseitig gewesen. Zum einen verdingten sich erfolglose Künstler in der Werbung. Zum anderen waren beispielsweise Piet Mondrians berühmte Farbflächenmalereien aus den 1920er Jahren zu einem beliebten Motiv auf Stoffen und anderen Dekorationsmaterialien geworden. Die Werbung bediente sich dieses Motivs und verstärkte dadurch die Tendenz noch. Warhol machte nun Grafikdesign kunstwürdig, Dinge der Alltagskultur wurden damit über die Schwelle der Kunst gehoben. Warhol war allerdings auch besonders prädestiniert für diesen Schritt, denn vor seiner Karriere als Künstler war er bereits ein namhafter Werbegrafiker. Eine ironische Note bekommt die *Brillo Box*-Geschichte, wenn man weiß, dass der Designer des Kartons, James Harvey, selbst ein gescheiterter Künstler war. Warhol und die anderen Künstler der Pop Art wie Robert Rauschenberg, Jasper Johns oder Roy

Lichtenstein folgten der Devise, dass jedes Bild aus einer manipulierten Oberfläche besteht. Gegen den jetzt als weltfremd und überholt angesehenen Abstrakten Expressionismus setzte die Pop Art Bilder aus der Reklame, aus Zeitungen und Comics. Jasper Johns flächige Malereien von Flaggen entstanden in diesem Zusammenhang ebenso wie Warhols Bilder von Tomatendosen, Siebdruckserien von Mao oder Elvis, oder auch Roy Lichtensteins aufgeblasene Comicfragmente. Kaum jemand hat die zuvor noch so heiligen Hallen der Kunst so stark erschüttert wie Warhol. Die Idee, in einer Bilderfabrik – der berühmten *Factory* – Kunst in Serie zu produzieren, entsprach seiner Intention, mit Markenartikeln der Firma Warhol Profit zu machen. Unerhört schien auch Warhols zur Schau gestellte Geldfixierung. Von Künstlern war man bis dato gewohnt, dass sie zu diesem Thema vornehm schwiegen. Kunst galt vielen immer noch als etwas Heiliges, Geld aber stank. Während Beuys mit Abfallrecycling und selbstgebasteltem Gerümpel die Welt verändern wollte und dem Zuschauer »Zurück zur Natur!« zurief, signierte Warhol bei Vernissagen Dollarscheine und steigerte damit den Wert der Noten um ein Vielfaches. Aber Warhols Vorgehen betonte auch den Bruch mit der Lebenslüge der elitären Kunstwelt, dass Kunst in der modernen Konsumgesellschaft noch eine besondere Relevanz habe: »Künstler ist ein Beruf wie jeder andere«, war sein Credo.

DAS ECHO DER POP ART

Bis heute spaltet Warhol die Kunstwelt in zwei Lager. Jenes, das ihn dafür bewundert, dass ihm mit scheinbar einfachsten Motiven die Sabotage unseres Kulturverständnisses durch Überaffirmation gelungen sei, und jenes, das ihn für einen hohlen Werbe-Fuzzi hält, der mit seiner ausdruckslosen Kunst die hohe Kultur in den Schmutz gezogen habe. So schimpfte der Künstler Jannis Kounellis über Warhol: »Er ist talentlos, ein Publizist und kein Künstler ... man hat diesen Idioten ... gefragt, welche italienischen Künstler er kenne. Er hat geantwortet, dass er von Italien nur die Spaghetti kenne.« Die Konservativen sprachen beim Anblick von Warhol gar vom »Ende der Kunst« – ein Statement im Übrigen, das zu den Dauerbrennern der Kunstgeschichte gehört und gern in der Absicht verkündet wird, selbst eine historische Botschaft auszusprechen.

Obwohl Warhol bis heute polarisiert, ist sein Einfluss schwer zu überschätzen. Man kann diesen Einfluss sicher an einzelnen Künstlern festmachen. Deutsche wie Gerhard Richter und Sigmar Polke begannen in den 1960er Jahren unter dem Einfluss der amerikanischen Pop Art ihren Aufstieg in die Riege der weltweit erfolgreichsten zeitgenössischen Künstler. Darüber hinaus hat Warhols Werk in der Breite eine Zitierfreude in der Kunst heraufbeschworen, die seit den bibeltreuen Malern der Renaissance beispiellos ist. Warhols smarte Naivität und sein subkulturelles Image, das er auch mit der Unterstützung der experimentellen Rockband Velvet Underground formte, haben bis heute auf junge Künstler starken Einfluss. Wenn man Warhol und Beuys als Gegenspieler betrachtet – der eine als weltverbessernder Kreativapostel, der andere als künstlerischer Propagandist der bunten Warenwelt –, stellt sich die Frage: Wer hat gewonnen? Blickt man auf Preise und Marktpräsenz, lässt sich sicher sagen: beide! In puncto Inhalt erleben wir aber einen Triumph der Warholschen Ideen: Beuys' Parole »Jeder Mensch ist ein Künstler.« klingt heute nach Ergotherapie und Volkshochschule. Dagegen regiert im Kunstbetrieb und in den Medien unübersehbar Warhols Motto »Jeder ein Star für 15 Minuten!«

Bei diesem Überblick über die gängigsten Genres und Gattungen des derzeitigen Kunstbetriebs wollen wir es erst einmal belassen. Natürlich sind noch viel feinere Unterteilungen in Schulen, Themen- und Künstlerkreise möglich. Es wäre auch denkbar, sich bis ins Detail

mit der Kunst der 200 zurzeit wichtigsten Künstler zu befassen. Man muss die Künstlernamen aber nicht kennen. Ein oberflächliches Lexikonwissen nutzt uns kaum, wenn wir die Mechanismen und Regeln der Kunstbranche verstehen wollen. Wer entscheidet, was wir als Kunstpublikum überhaupt zu sehen bekommen? Wer bestimmt, wann etwas Kunst ist? Was ist ausschlaggebend für den Erfolg oder Misserfolg eines Künstlers? Wie schmutzig ist es hinter den Kulissen der Kunstwelt?

KAPITEL 2

MIT DEM KÄRCHER DURCH DIE KUNSTWELT. ODER: WIE FUNKTIONIERT DER KUNSTBETRIEB?

Arglos und stolz präsentierte das New Yorker MoMA (Museum of Modern Art) Picassos Gemälde *Guernica*, eine Ikone des 20. Jahrhunderts, als es am 28. Februar 1974 Ziel eines spektakulären Anschlags wurde. Der Täter sprühte in großen Lettern »KILL LIES ALL« auf das Bild. Immer wieder werden weltberühmte Kunstwerke Opfer von Profilneurotikern und Geistesgestörten, die mit ihren Aktionen auf perverse Weise vom Ruhm des Werkes profitieren wollen. Bemerkenswert ist der Zwischenfall mit *Guernica* aber vor allem deshalb, weil der Täter, Tony Shafrazi, heute nicht in einer psychiatrischen Anstalt einsitzt, sondern ein überaus erfolgreicher Galerist ist. Ein Widerspruch? Seine Wandlung vom Sprayer zum Player, vom halbverrückten Künstler zum mächtigen Händler beschreibt beispielhaft den Profilierungsdrang derer, die auf dem Planeten Kunst unterwegs sind.

Die Gesetze dieses Gestirns sind für Zaungäste schwer zu verstehen. Sie haben offenbar nur die Wahl zwischen unkritischer Begeisterung oder verbretterter Ablehnung. Diejenigen, die sich für beide Möglichkeiten zu schade sind, stecken in einem Dilemma. Wie soll man sich einen Überblick über moderne und zeitgenössische Kunst verschaffen, ohne viel Zeit zu investieren? An der Vorbildung muss es ja gar nicht mal liegen. Viele wissen längst, dass Malewitsch kein Brettspiel ist und Mondrian keinen geografischen Fachbegriff darstellt. Die Medien machen Warteschlangenanimation vor den Sonderausstellungen und Auktionsreklame, während die klassische Übersetzungsfunktion der Kunstkritik vernachlässigt wird: der breiten Öffentlichkeit die vielfältigen individuellen Künstler-Konzepte zu erklären und Hintergründe zu beleuchten. Derart mit Kunst alleingelassen, rumoren im Publikum viele Fragen: Wer entscheidet eigentlich, wann ein Gegenstand zum Kunstwerk wird? Was unterscheidet ein Kunstwerk von Kunsthandwerk, von Alltagsgegenständen oder gar von Müll? Wer hat nicht schon mal den Verdacht gehabt, dass

UPS... MEIN PORTEMONAIE IST WOHL ZU SCHWER
TIL

etwas nur Kunst ist, weil es mit dem richtigen Namen signiert ist oder von Experten in den Kunstbetrieb eingespeist wurde? Was fehlt, ist ein handliches Werkzeug, schwache von sehenswerter Kunst zu unterscheiden. Dabei geht es nicht darum, zu schauen, welcher Künstler wo ausstellt oder wie hoch er gehandelt wird. Das sind keine verlässlichen Kriterien. Niemand wird bestreiten, dass schlechte Musik sehr erfolgreich sein kann. Aber Vielen fällt es schwer zu akzeptieren, dass es auch in der Bildenden Kunst so etwas wie Modern Talking oder DJ Ötzi gibt. Nicht wenige Kunstmarktkenner behaupten tapfer, dass genug Menschen und Institutionen die Qualitätstandards sicherten, dass sich der Markt in dieser Hinsicht selbst reguliere und deshalb stets gute Produkte hervorbringe. Doch der Gang in aktuelle Ausstellungen zeigt immer häufiger das Gegenteil: Offensichtlich ist auch minderwertige Kunst in dieser Welt höchst erfolgreich. Wie ist das möglich?

PLANET OF THE ARTS

Wer den Planeten Kunst betritt, wird feststellen, dass er einem nobel dekorierten Spielsalon verdächtig ähnelt. Irgendwo klimpert ein trauriger Pianist, und wer an der Bar eine Milch bestellt, kann gleich wieder gehen. Es brummt an den Spieltischen. Dort zocken die wichtigsten Akteure des Kunstbetriebs: Sammler, Kunsthändler, ein paar Künstler und Museumskuratoren. Hinter den Spielern in der zweiten Reihe stehen die vielen Einflüsterer und grauen Eminenzen, die auf die Spieler einwirken und Informationen aufschnappen: Kritiker, Journalisten, Politiker, Sponsoren, noch ein paar Künstler, die zwar am Geschehen beteiligt sind, über deren Köpfe aber oft hinweg verhandelt wird. Dahinter scharrt eine rangelnde Meute ungeduldig mit den Füßen, die auch endlich mal an die Tische will: ein Nachwuchsheer aus Galeristen, Kuratoren, Künstlern, dann ein paar

Mutige, die sich nach dem Kauf einiger Kunstwerke als Sammler fühlen. Und schließlich die Schaulustigen, die oft nur das zu sehen bekommen, was sie sehen sollen. Der Kunstbetrieb lässt sich als ein System beschreiben, das aus vielen, sich gegenseitig beobachtenden und äußerst lernfähigen Figuren besteht. Ziel der Spieler ist es, den Wert der von ihnen geförderten oder gekauften Kunst zu steigern. Niemand ist im Business, um arm zu bleiben oder es zu werden. Niemand sammelt leidenschaftlich Nieten. Gleichwohl wollen die Spieler als edle Kulturfreunde oder kluge Kunstkenner Anerkennung finden. Kunst ist ein Luxusgut ohne direkten Gebrauchswert. Die Handelsgüter im Kunstmarkt sind über das Monetäre hinaus mit geistig-kulturellen Werten aufgeladen. Geld und Geist lassen sich hier leicht verwechseln. In der Folge sprechen viele Kunstmarktakteure von ›Kultur‹, wenn sie ›Geld‹ meinen, und reagieren indigniert, wenn die Sprache auf Preise, Honorare und Renditen kommt. Das Spiel ist einfach zu schön, um wahr zu sein, denn an den Tischen scheinen alle zu gewinnen.

SIND KUNSTSAMMLER BESESSENE, FETISCHISTEN, IRRE?

»Ich bin jemand, der nachts um drei aufsteht, um ein Bild anzusehen«, gestand der kunstbegeisterte Elsässer Stephane Breitwieser. Er lebte im Haus seiner Mutter auf 30 Quadratmetern, inmitten seiner Kunstsammlung von 250 Werken. Der Wert der Kollektion von Alten Meistern, Antiquitäten, der Monets und Watteaus wurde bei seiner Verhaftung auf 10 Millionen Euro geschätzt. Leider hatte Breitwiesers Kunstliebe einen schwarzen Fleck: Er war kleptoman, hatte alles in Museen, Schlössern und sogar bei Auktionen im Hause Sotheby's gestohlen. Während des Prozesses attestierten die Psychologen dem Angeklagten eine unreife, narzisstische Persönlichkeit. Er leide unter einer besonderen Form des Größenwahns, hieß es. Er handele suchtartig – das Besitzgefühl sei ihm wichtiger als das Werk selbst.

Das fast schon kindliche Habenwollen teilen Kunstsammler mit allen anderen Sammelverrückten. Nur ist das Sammeln von Bierkrügen oder Briefmarken wohl nicht ganz so aufregend. Kunstwerke sind heute begehrenswerte Luxusgüter geworden. »Wer früher aus einfachen Verhältnissen plötzlich zu Wohlstand kam, hielt sich ein Gestüt, um in der Gesellschaft anerkannt zu werden. Heute beschäftigt man sich mit Kunst. Als Sammler werde ich behandelt wie ein Professor, nach dem Motto: Das ist ein kultureller Mensch, nicht nur ein Kaufmann«, sagt Hans Grothe, einer der großen Sammler zeitgenössischer Kunst. Keine Frage: Kunst verleiht den Gewinnern des harten, manchmal herzlosen Wirtschaftslebens einen freundlichen human touch. Die Kunstsammler bilden mit ihrer Kaufkraft die Lebensadern des Kunstbetriebs. Waren es Anfang der 1990er Jahre gerade mal 15 dominante Kunstsammler weltweit, zählt man heute tausende von zahlungsfreudigen Großeinkäufern. Darunter rangiert eine unüberschaubare Zahl von Kaufwilligen, die nur fünf- bis sechsstellige Beträge in die Kunst fließen lassen. Es überrascht kaum, dass der Goldrausch viel Gesindel anlockt. Der megaerfolgreiche Galerist Iwan Wirth, selbst umstrittener Vorreiter des durchkommerzialisierten Kunstbetriebs, bringt es auf eine Formel, die nachdenklich stimmt: »Heutzutage gibt es mehr Sammler als großartige Werke.«

Kunstsammeln scheint zum Massensport von Vermögenden geworden zu sein: Das Spektrum reicht vom kulturbeflissenen Zahnarzt bis zum gewitzten Softwareentwickler, vom gediegenen Adel bis zum organisierten Verbrechen. Kunstwerke in den privaten Räumen haben die altmodisch-gelehrsamen Bücherregale als intellektuelle Visitenkarte abgelöst. Sie sind die Kompetenztapete unserer Zeit. Kein Zweifel: Kunstsammler sind en vogue. Sie gelten als die wahren Kenner. Nicht zuletzt ist das der Imagepflege zu verdanken, die all jene

■ Fällt bei vielen Kunstlaien durch – Wim Delvoye simuliert den menschlichen Verdauungsvorgang mit einer aufwändigen Apparatur: *Cloaca*, 2002/03

betreiben, die an diesem Geschäft verdienen. Die Leidenschaft der Sammler bekommt quasi philosophische Weihen. Ihre materielle Opferbereitschaft wird als Gradmesser für Qualität herangezogen. Ein teures Kunstwerk ist dann schon allein seines Preises wegen bedeutend. Längst sind Sammler nicht mehr jene hilflosen Trottel mit dicker Brieftasche, denen windige Berater zweitklassige Impressionisten oder dubiose Rembrandts aufschwatzen konnten. Der amerikanische Öl-Tycoon Armand Hammer gehörte in diese Liga. Er sammelte impulsiv, war stets auf der Jagd nach Schnäppchen und prahlte mit den Preisen, die er sich leisten konnte. Seine Vorliebe waren Frauenakte. Als sich John Walker, ehemaliger Direktor der Nationalgalerie in Washington D.C., von ihm als Berater engagieren ließ, war er wegen der vielen Fälschungen in Hammers Kunstbestand entsetzt: »Er war ein Schnäppchenjäger par excellence. Es gibt keinen besseren Weg, ein erfolgloser Sammler zu sein.« Hammer besaß zum Beispiel einen ›garantiert echten‹ Rembrandt, gemalt vom einem Moskauer Museumsdirektor. Vom niederländischen Meister des 17. Jahrhundert gibt es nach heutigen Erkenntnissen etwa 300 Werke. Doch von 1951 bis heute wurden allein in die Vereinigten Staaten über 9.000 Rembrandts importiert!

Wenn heute jemand eine Sammlung aufbaut, geschieht das meist mit mehr Überlegung. So haben auch die kleinen Fische gelegentlich die Chance auf den großen Reibach, und ein kleines Wertschöpfungsmärchen wird wahr. Als ein Galerist 1997 die neue Ölbild-Edition *Fuji* von Gerhard Richter anbot, waren die großen wie die kleinen Sammler ganz aus dem Häuschen, in ihrer Gier streiften einige von ihnen jeden Anstand ab. Der Händler wurde bedrängt und beschimpft. Längst verstorbene Großmütter wurden zu neuem Leben erweckt, damit die Interessenten unter dem Namen der Verwandtschaft noch weitere Bilder ergattern konnten. Eine Masche, die vor Jahrzehnten schon bei einer berühmten Edition des Beuysschen

Filzanzugs aufflog. Die Sammler rangelten wie weiland die Hausfrauen an den Wühltischen, wenn im Karstadt-Neukölln der Sommerschlussverkauf begann, denn jedes der 110 Gemälde kostete nur 6.000 Euro und ließ große Gewinne erwarten. Und tatsächlich: Mittlerweile werden bis zu 125.000 Euro für ein Exemplar der Edition verlangt. Auch um die Exkremente von *Cloaca*, der bereits erwähnten Verdauungsmaschine von Wim Delvoye aus dem Jahr 2002/03, gibt es reges Gedränge. »Für einige Scheißesorten mussten wir tatsächlich eine Warteliste anlegen«, gibt der Künstler zu Protokoll. Dabei bedauert es Delvoye, dass die meisten Sammler nur an einheimischer Ware interessiert sind. So kaufen New Yorker nur, was auch in New York verdaut wurde. Da sage noch einer, Kunst brauche keine Heimat ...

DIE KOLLEKTION DES GROSSSAMMLERS – EIN SCHREI NACH LIEBE

Enormen Einfluss haben die vermögenden Großsammler, die teils aus traditionellen Kunstsammlerfamilien stammen, teils über ihren Erfolg im Geschäftsleben eine neue Berufung als Mäzen oder Stifterpersönlichkeit suchen. Manche von ihnen genießen die Aussicht, die Kunstgeschichte ein Stück weit beeinflussen zu können, indem sie bestimmte Künstler massiv fördern. Bei manchen spielt das Bedürfnis, die erworbenen Kunstwerke in einer persönlichen Beziehung zu begreifen eine große Rolle: »Solange ich lebe, werde ich nach Dingen suchen, die die Intensität des Lebens ausdrücken. Das nimmt man mit dem Herzen wahr, nicht mit dem Verstand«, so der italienische Sammler Graf Giuseppe Panza di Biumo. Er behauptet sogar, er leiste sich keinen Kurator und fahre nur einen Mittelklassewagen, um mehr Geld für die Kunst zu haben: 2.500 Kunstwerke hat er in den letzten 50 Jahren zusammengetragen. Einigen Sammlern geht es um den guten Ruf, der über die Wirtschaftswelt, die Klatschspalten und den Tod hinaus möglichst lange nachhallt. Wieder andere verbinden das Nützliche schlicht mit dem Angenehmen: Der kulturell veredelte Kunstkonsum bringt mithilfe diverser Steuertricks noch zusätzliches Vermögen ein. Und viele Sammler eint das treibende Gefühl, ›Haben‹ sei gleichbedeutend mit ›Verstehen‹.

Natürlich ist auch Angeberei im Spiel, wie der folgende Betriebsunfall zeigt: Casinomilliardär und Kunstsammler Steve Wynn hatte 2006 den Verkauf des Picassogemäldes *Le Rêve* in Höhe von 139 Millionen Dollar bereits eingefädelt. Kaufinteressent war der HedgeFonds-Milliardär Steven A. Cohen. Nun wollte Wynn einigen Freunden das Bild noch einmal zeigen, wie es im Büro seines Luxushotels in Las Vegas auf einer Staffelei stand. Der kunstsinnige Casinoboss, der an einer Augenkrankheit leidet, drehte sich dabei allzu rasch zu seinen Freunden um und touchierte das Bild mit dem Ellbogen. Es blieb ein drei Zentimeter langer Riss. Wynns Kommentar nach dem Vorfall zu seinen konsternierten Gästen: »Ich bin nur froh, dass das mir passiert ist und nicht einem von euch.« Der Verkauf platzte.

KUNST STATT KOKS

Keine Frage, im Kreis der Sammler gibt es die grellen, milde belächelten Paradiesvögel. So wurde auch Fürstin Gloria von Thurn und Taxis, bekannte Selbstdarstellerin aus der Regenbogenpresse der 1980er Jahre, zur Kunstsammlerin. Ein Lebensabend als Charity-Lady war ihr wohl zu beschaulich. Fotos ihrer kürzlich versteigerten Sammlung zeigten allerdings, dass sie beim Kauf von Kunstwerken ebenso oft daneben griff wie bei der Wahl ihrer Frisuren: Auf ihrem Schloss Emmeram hingen Fotografien, Gemälde, Hirschgeweihe und Nippes wahllos gemischt an holzvertäfelten Wänden. Auch andere reiche Leute wie Francesca von Habsburg waren irgendwann vom Jet-Set-Leben gelangweilt und suchten eine neue spirituelle Berufung.

Immer nur Schampus, Shopping und Spritztouren auf Hochseeyachten – das hält niemand ewig aus. Erst pilgerte sie zum Dalai Lama, dann fand sie endlich Erleuchtung in der zeitgenössischen Kunst und gründete die Stiftung Thyssen-Bornemisza Art Contemporary, die aufwändige Auftragskunstwerke finanziert. Leute wie Frau von Habsburg haben gemerkt: Kunst schafft einfach mehr gesellschaftliche Anerkennung als die Dauerparty in den Boulevardblättern. Man möchte nicht nur reich und bekannt, sondern endlich auch beliebt sein.

Dieses Licht ging auch dem umstrittenen Sammler Friedrich Christian Flick auf. Heute residiert ein großer Teil seiner Kollektion in den Räumen der Berliner Nationalgalerie. Der mit dem Namen und Erbe seines Großvaters, eines im Nürnberger Prozess von 1946 verurteilten Kriegsverbrechers, belastete Enkel war in den 1990er Jahren im großen Stil in den Kunstmarkt eingestiegen. Hohe Wellen des politischen Protests schlug seine Äußerung in der Presse, mit dem Engagement für Kunst wolle er den Familiennamen endlich positiv besetzen. In wenigen Jahren ließ er dann etwa 2.500 Kunstwerke im Wert von geschätzten 250 Millionen Dollar, überwiegend Arbeiten etablierter Künstler, ankaufen. Nicht wenige Kritiker meinen, F. C. Flick sei wie Charles Saatchi mehr Investor als Sammler. Nun kann der in der Schweiz residierende Kunstfreund die Nationalgalerie in großem Stil nutzen, um sein Image aufzumöbeln und seinen Investitionen nebenbei eine Wertsteigerung zu ermöglichen. Für die öffentliche Hand entstehen durch die Flick-Ausstellungen hohe Kosten infolge der wechselnden Präsentationen. Zudem besitzt der Leihgeber selbst bei der Hängung der Werke Eingriffsrechte – eine problematische Konstruktion für jeden Museumsdirektor, der etwas auf seine Unabhängigkeit hält. Doch die chronisch klammen Berliner Museen wären wohl sonst niemals zu einem vergleichbaren Konvolut zeitgenössischer Kunst gekommen.

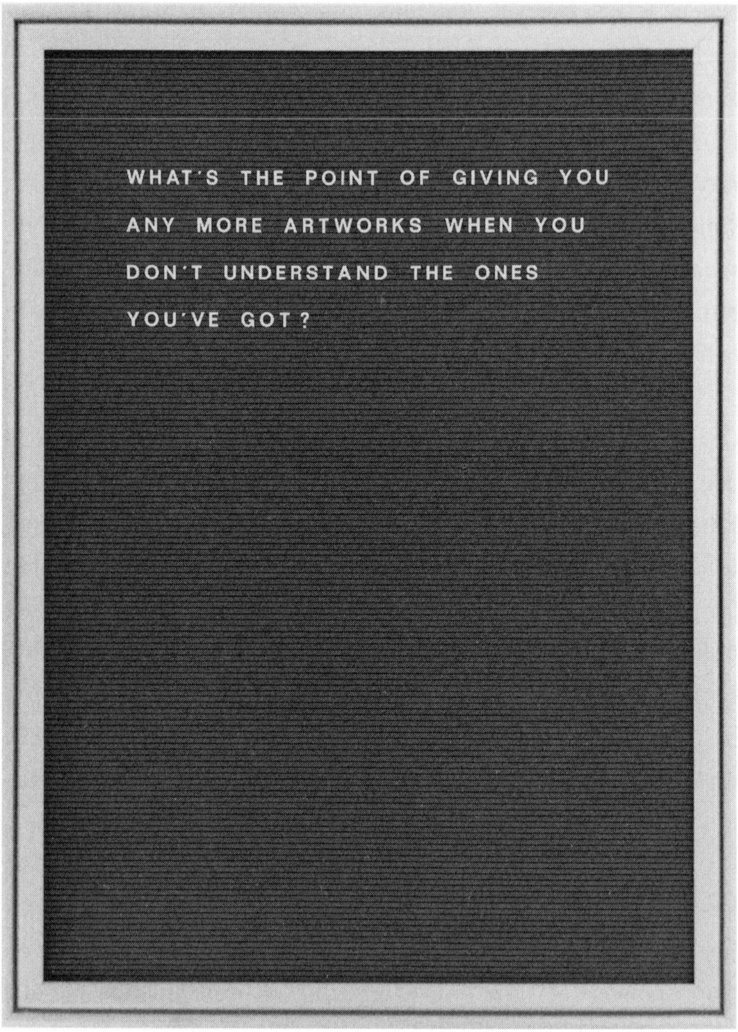

■ Die Katze beißt sich in den Schwanz – *Word Vitrine (What's the point of giving you ...)*, 2006, der Konzeptkünstlerin Bethan Huws. The show must go on ...

PORSCHE ODER NOLDE?

Souveräner geht Ingvild Goetz mit ihrer Sammelleidenschaft um, wenngleich ihr jährliches Budget für Kunst mit nur 500.000 Euro angegeben wird. Auch sie ist eine reiche Erbin. Die einstmals als Künstlerin gestartete und lange Jahre als Galeristin tätige Sammlerin präsentiert ihren Bestand in einem selbst finanzierten Museum in München. In der Sammlerszene gilt sie als Trendsetzerin, da sie lange Zeit auf überwiegend junge, noch nicht voll etablierte Kunst setzte. Den richtigen Riecher zu haben, bedeutet auch, finanziell die Nase vorn zu haben, wenn im eigenen Windschatten die ganze Sammlermeute nachzieht und auf diese Weise der Wertzuwachs der zuerst gekauften Arbeiten besiegelt wird. ›The trend is your friend‹ bestätigt bekanntlich eine Bauernregel im Börsen-Einmaleins. Goetz präsentiert regelmäßig ihre Ankäufe, trennt sich nur in Absprache mit ihren Händlern von Arbeiten und schickt Teile ihrer Sammlung auf Tournee durch andere Institutionen. Auch das wirkt sich wertsteigernd aus.

Superreiche wie der Chirac-Spezi François Pinault sammeln nicht nur Kunst, sondern auch Luxusfirmen. Neben Yves Saint Laurent und Gucci gehört seit 1998 das Auktionshaus Christie's dazu. Natürlich zeigt auch Pinault seine Kollektion in einem Museum, seit 2006 im Palazzo Grassi in Venedig, den der Sammler eigens vom japanischen Stararchitekten Tadao Ando umbauen ließ. Noblesse allerdings scheint selbst Männer wie Pinault nicht vor Albernheiten zu bewahren: So soll er sich im Vorfeld der Art Basel 2005 als Handwerker verkleidet in die Messehalle geschlichen haben, um eine kleine Vorbesichtigung zu wagen. Wahrscheinlich flog es auf, weil der knapp 70-Jährige den Werktätigen nicht überzeugend mimte – ohne Buckel und schwielige Hände.

Es gibt aber auch den klassischen Selfmade-Unternehmer mit der Liebe zur Kunst: Als der Unternehmer Hans Grothe Mitte zwanzig war, stand er vor der Entscheidung: Porsche oder Nolde? Der Hans entschied sich für den Emil und startete eine Sammlerkarriere, die ihn zu einer wichtigen Figur im westdeutschen Kunstbetrieb werden ließ. In den 1970er Jahren suchte Grothe Anschluss an die Künstlergemeinde im *Ratinger Hof*, einer Kneipe in der Düsseldorfer Altstadt. Hier trafen sich die Beuysanhänger. Die heute international bekannte Künstlerin Katharina Sieverding kellnerte, während sich Sigmar Polke & Co. volllaufen ließen. Angefixt von seinen neuen Freunden, entschloss sich Grothe die Polkeschau *Original + Faelschung* aus dem Westfälischen Kunstverein Münster als Paket zu kaufen, 1973 noch zum Schnupperpreis von 20.000 DM. Mit dem Kauf brachte der Sammler Schwung in die Karriere des Künstlers. Leider passten Polkes Werke nicht zur Inneneinrichtung und zu den anderen Werken in der Wohnung. Grothe mochte sich mit der schrillen Kunst noch nicht recht identifizieren, wie er sich erinnert: »Man geht ja auch mit einer Nutte nicht so gerne durch die Hotelhalle.« Die Lösung war, die Bilder dauerhaft an das Bonner Kunstmuseum auszuleihen.

Die Sammelleidenschaft kann durchaus ebenso mit Leid zu tun haben, gesteht der Arzt und Kunstfreund Reiner Speck freimütig: »Sammeln macht krank, bereitet schlaflose Nächte, löst Familienstreit aus und verschuldet.« Doch die Kunst, mit Schulden reich zu sein und gut zu leben, beherrscht nicht jeder. Auch unter Sammlern gibt es den sympathischen Verlierer, der trotz guter Instinkte scheitert. Der Berliner Künstler Herbert Volkmann ist einer von ihnen. In den 1970er Jahren versuchte er es ohne Erfolg als Performancekünstler. Schließlich gelangte er über den elterlichen Fruchtgroßhandel zu Wohlstand und steckte sein Geld Anfang der 1990er Jahre in die aktuellste Kunst. In Berlin sammelten damals Wilmersdorfer Rechtsanwälte Bismarckporträts und Biedermeier, aber zeitgenössische Kunst? Volkmann pumpte nach eigenen Schätzungen bis zu 500.000 DM jährlich in die junge Kunstszene, was bei Galeristen und den lokalen Feuilletons natürlich gut ankam. Weil die amerikanischen und britischen Künstler bald zu teuer wurden, konzentrierte er sich auf den deutschen Nachwuchs: »Man konnte noch für 1.000 Mark was Anständiges kriegen, obwohl die Kunstszene in Berlin mächtig wuchs.« Auch als das finanzielle Polster nicht mehr so üppig war, machte der Sammler weiter: »Ich habe meine Eigentumswohnung vertickert und in Kunst umgesetzt, das ist schon ziemlich balla balla.« Als es schließlich gar nicht mehr ging, brachte Volkmann, der mittlerweile wieder als Künstler arbeitet, einen Großteil seiner Sammlung 1999 bei Christie's unter den Hammer und machte sich damit bei den Galeristen unbeliebt.

SAMMLER MIT IMAGEPROBLEMEN

Damit hat Volkmann etwas mit dem bisher größten und bekanntesten Großsammler gemein. Dem Briten Charles Saatchi, der seit über 30 Jahren vormacht, wie man mit Kunst und viel Geld viel Aufmerksamkeit und noch mehr Geld gewinnen kann. Seine Beute zeigt er seit den 1980er Jahren in einer eigenen Galerie in London. Damals war Saatchis Werbeagentur zum größten Werbekonzern der Welt aufgestiegen. Dreimal hintereinander gewannen die Tories unter Margaret Thatcher die Wahlen zum Unterhaus, jedes Mal führte Saatchi & Saatchi die Kampagne. »Labour isn't working« war 1979 sein großer Schlager. Der breiten Öffentlichkeit wurde Saatchi bekannt, als er Anfang der 1990er Jahre eine Handvoll junger britischer Künstler des Londoner Goldsmiths College of Arts mit seiner Kaufkraft unter dem Exportlabel *Young British Artists* (*YBA*) international durchsetzte. Eigenartig, dass Saatchi sein eigenes Image nicht in den Griff bekommt, wo er doch als Werbe-Guru gilt, der nicht nur in der Kunstwelt, sondern auch in Politik und Wirtschaft Wunder zu vollbringen vermochte. Denn er gilt heute weithin als Prototyp eines rücksichtslosen und machtbesessenen Sammlers. Manche titulieren ihn sogar spitz als Großhändler. Der Grund: Saatchi kauft und verkauft nach eigenem Gusto. So, wie Saatchi in großem Stil Newcomer erwirbt und etabliert, schöpft er auch mal den Wertzuwachs seiner Kunstwerke in günstigen Situationen ab. Dies kann schließlich zu einem Preissturz führen, wenn nicht sogar einen Karriereknick der betroffenen Künstler verursachen. Beratungsresistent könnte man Saatchi nennen, denn die Kunsthändler mögen es gar nicht, wenn jemand in ihrem Revier wildert. Sammler sollten, so das Credo der Verkäufer, die Werke behalten und das Handeln ihnen überlassen. Nicht wenige Künstler und Galeristen verdanken ihre Karrieren Saatchis agilem Treiben – eine Tatsache, die er zweifellos genießt.

DIE GALERISTEN: SELBSTERNANNTE MISSIONARE DER KUNST

Nehmen wir an, Sie sind Galerist. Ein paar Künstler stellen sich wie die Orgelpfeifen in Ihrem Vorgarten auf. Während Sie verunsichert die Gardine zur Seite schieben, packen die seltsamen Gestalten ihre Bilder aus und präsentieren sie wie Kinder, die ihr altes Spielzeug am Rande eines Wochenmarktes feilbieten – voller Hoffnung und auch ein bisschen peinlich berührt. Was tun Sie?

- Sie ignorieren die Künstler, bis sie Ihnen frustriert ein paar Vergissmeinnicht zertreten und wieder abziehen?

- Sie rufen, je nach Vorliebe, die Männer in Grün oder in Weiß, um wieder zur Tagesordnung übergehen zu können?

- Sie telefonieren mit Christoph Schlingensief, der bekanntlich immer ein paar Verrückte für sein Theater braucht?

Der passionierte Kunstliebhaber und Galerist Rudolf Jährling honorierte einmal solche Künstler nach ihrer Vorgartenaktion mit einer Ausstellung. Die Künstler hießen damals unter anderem Sigmar Polke und Gerhard Richter, die in ihren Anfängen so ziemlich alles taten, um aufzufallen. Alles, was heute für seriöse Nachwuchskünstler undenkbar ist. Aber gut, damals waren einfach andere Zeiten: Wirtschaftswunder, Fresswelle, endloser Aufschwung. Jeder, der in freier Rede einen Relativsatz mit einem erweiterten Infinitiv kombinieren konnte, kam gar nicht daran vorbei, eine Professur oder einen leitenden Posten angeboten zu bekommen. Heute bekommt man mit viel Glück ein Praktikum in einer Galerie und wird später selbst Galerist. Einer davon ist Andreas Osarek. Er begann 1987 als Praktikant in der Galerie Ascan Crone, die er heute führt. Über seine zwanzigjährige Ochsentour sagt er: »Der Übergang vom Praktikanten zum Galeristen war und ist schleichend. Er endet nie.« Aber auch die Übergänge vom Galeristen zum Händler, vom Händler zum Sammler, vom Sammler zum Art Consultant, vom Missionar zum Opportunisten und wieder zurück – alles ist im Fluss.

DER KÜNSTLER ALS ROHMASSE

Wenn es nach den einschlägigen Selbstdarstellungen geht, reiben sich alle Galeristen für ihre Schützlinge unermüdlich auf, gehen enorme finanzielle Risiken ein und sehen sich prinzipiell mehr dienend als verdienend. Sie vermitteln zwischen den verschiedenen künstlerischen Positionen und der Öffentlichkeit und verfolgen so ihren »kulturellen Auftrag«. Ein guter Galerist sucht Talente – oft in der eigenen Generation – und baut sie langsam und kontinuierlich auf. Er gibt seinen Künstlern experimentellen Spielraum und hält sie als Überzeugungstäter für die besten überhaupt. Die Londoner Galeristin Maureen Paley behauptet gar, ihr Beruf sei der schönste der Welt:

»Es ist so ein Privileg, dass jeder, der etwas anderes behauptet, flegelhaft klingt.«

Zu schön, um wahr zu sein? Was spielt sich hinter dieser polierten Oberfläche ab? Das Schlüsselwort im Kunstgeschäft heißt Vertrauen, deshalb dringen die unappetitlichen Details nur selten an die Oberfläche. Künstler müssen eine gute Portion Vertrauen allein schon deshalb mitbringen, weil sie nicht wirklich überprüfen können, ob ihr Galerist sich tatsächlich voll für sie einsetzt. Entsprechend häufig gibt es Zank. Die Künstler sind auf Händler angewiesen, spätestens, wenn sie für Nachwuchsstipendien zu alt geworden sind. Dafür nehmen sie in Kauf, nicht mehr selbst über ihre Preise bestimmen und keine Geschäfte mehr in Eigenregie abwickeln zu können. Das Vertrauensverhältnis kann so eng werden, dass der Galerist beansprucht, über jeden Schritt des Künstlers möglichst in Echtzeit informiert zu sein. Bruno Brunnet soll beispielsweise einen seiner berüchtigten cholerischen Anfälle bekommen haben, als ihm ein unangemeldetes Gemeinschaftsprojekt seiner Schützlinge Daniel Richter und Jonathan Meese zu Ohren kam. In Einzelfällen kann diese Beziehung für den Galeristen zur Mutprobe werden. Maurizio Cattelan ließ seinen Pariser Händler Emmanuel Perrotin sechs Wochen lang in einem rosa Bunny-Penis-Kostüm durch die Ausstellung hoppeln. Seinen übergewichtigen Galeristen aus Mailand fixierte Cattelan mit starkem Klebeband an der Wand – anschließend musste der fügsame Händler im Krankenhaus behandelt werden.

Meistens aber läuft das Spiel andersherum: Händler nehmen Einfluss auf die Arbeit ihrer Künstler, gelegentlich drängen sie sie sogar zu bestimmten Werken und Techniken. Für manche Galeristen ist der Künstler nur Rohmaterial, aus dem er eine unverwechselbare und einträgliche Marke erschaffen kann. Die Formung und Inszenierung einer Persönlichkeit, die für die Presse und den Kunstmob interessant ist, verlangt Geschick und Ausdauer. Brunnet erkannte das Vermark-

■ Ein Galeristenschicksal: Leiden für die Kunst – Maurizio Cattelans Installation mit seinem Galeristen Massimo De Carlo, 1999

tungspotenzial Jonathan Meeses und baute ihn zum gefeierten Antikünstler auf. Besucher berichten, der Galerist präsentiere den Künstler in dessen Berliner Domizil, als sei er Henri Murgers *Szenen aus dem Pariser Künstlerleben* von 1851 entsprungen: ein chaotisches Wohnatelier über der Galerie, Matratzen auf dem Boden, darauf ein nacktes Fräulein Mimi ... Imagegerecht fallen auch die Auftritte des Gruselclowns aus. Als sich Zuschauer einmal bei den stundenlangen Darbietungen langweilten und riefen: »Kommt noch was Interessantes?!«, antwortete der Künstler standesgemäß mit dem Zuruf »Du Pottsau!« und stieß wilde Verwünschungen aus. Gutmütige Zeitgenossen bugsieren den mit Unmengen Alkohol gedopten Künstler von der Bühne, wenn er in seiner Raserei mal wieder kein Ende findet.

GELD HABEN ODER GUT EINHEIRATEN

Manchmal kann der Aufbau eines jungen Künstlers im Laufe von drei bis fünf Jahren 100.000 Euro kosten, erst dann wird das Geschäft lukrativ – wenn überhaupt, jammern die Galeristen. Die Investitionen der New Yorkerin Barbara Gladstone in ihren Schützling Matthew Barney, mit seinen aufwändig inszenierten Kunstfilmen einer der Aufsteiger der 1990er Jahre, waren sicher um ein Vielfaches höher. Natürlich sind auch viele Rohrkrepierer dabei. In der Regel kann sich eine Galerie diese Pionierarbeit nur leisten, wenn sie durch prominente Zugpferde genügend Einnahmen erwirtschaftet oder die Mittel von Haus aus vorhanden sind. Weniger liquide Galeristen hingegen nehmen einen Künstler zwar in ihr Programm auf, um das Angebot abzurunden, doch die eigentliche Aufbauarbeit mit dem Neuling kocht nur auf halber Flamme. Meist gibt es eine Einzelausstellung als Testballon, auf einigen Messen wird etwas von dem Künstler gezeigt, und wenn die Rakete dann nicht startet, wissen beide: Die große Liebe ist das nicht. Wie im Profifußball, wo erfolgreiche Talente oft von größeren Vereinen abgeworben werden, greifen renommierte, global agierende Galerien gern Künstler mit ersten Erfolgen ab, sodass die Konkurrenz die Früchte ihrer Aufbauarbeit gar nicht mehr genießen kann. Die emotionale Bindung von Künstlern ist deshalb das A und O. Das gelingt nicht jedem. Schon gar nicht solchen Galeristen, denen im Eifer allzu menschliche, wenngleich unentschuldbare Fehltritte passieren: Kunstwerke zu korrigieren bzw. gefälliger zu machen, großflächige Werke in leichter zu verkaufende kleine Häppchen zu zerlegen, dem Künstler den vereinbarten Anteil vorzuenthalten oder bei finanziellen Streitigkeiten die Bilder als ›Geiseln‹ unter Verschluss zu halten. Den Absturz vom Stargaleristen zum Schuldensammler erlitt in den 1990er Jahren Karsten Schubert. Der Londoner Galerist war 1987 hoffnungsvoll gestartet und vertrat neben anderen Abigail Lane und Rachel Whiteread. Er hätte zum Großhändler der *YBA* werden können, doch leider vertrug er sich nicht mit deren Wortführer und erfolgreichstem Protagonisten Damien Hirst. So ging das ganz große Geschäft an Schubert vorbei. Mit Rachel Whiteread verlor er 1997 schließlich sein Zugpferd. Über beide Ohren verschuldet musste der Deutsche seine Galerie schließlich aufgeben. Sorgen muss sich um ihn allerdings niemand machen. Seine Kontakte in der Kunstwelt reichten aus, um wieder an die Oberfläche zu kommen. In einem kleinen Büro machte er weiter, und inzwischen schmeißt er wieder glänzende Parties für die Londoner Kunstwelt. Ein Werk der Op-Art-Künstlerin Bridget Riley verkaufte er 2006 für über eine Million Pfund – wenn das kein Grund zum Feiern ist ...

Um als Galerist Karriere zu machen, sind eigenes Vermögen oder Familienangehörige im Kunstbusiness unerlässlich. Der Schweizer Iwan Wirth gehört mit Mitte Dreißig bereits zu den einflussreichsten Kunsthändlern der Gegenwart, er wird publicitywirksam als Mozart unter den Galeristen oder als Iwan der Schreckliche tituliert. Die Legende besagt, dass er schon als sechzehnjähriger Kunstfanatiker

■ Nichts für Menschen mit Migräne: Bridget Riley, *Descending*, 1965/66. Eine andere Arbeit aus dem gleichen Jahr ging 2006 für mehr als eine Million Pfund an einen schwindelfreien Sammler

eine kleine eigene Galerie hatte. Die 50.000 Franken Startkapital von der Bank waren rasch verbraten. Der Aufstieg gelang ihm schließlich mit dem Einheiraten in die Sammlerfamilie Hauser. Heute ist Wirth in Zürich, London und New York präsent. Er gilt hinter Larry Gagosian als zweitmächtigster Galerist der Welt und sichert sich seine Pfründe unter anderem als Flicks Berater. Von Gagosian hingegen erzählt man sich, er sei ohne eigenes Vermögen an den Start gegangen und habe noch in den 1970er Jahren am Strand von Santa Monica Zehn-Dollar-Poster verkauft, bevor ihm die Bekanntschaft mit New Yorks Galeristenstar Leo Castelli die Türen zur Kunstwelt öffnete.

DIE KONTROLLFREAKS

Wie die Großsammler sind auch die Spitzengalerien mit ihren weltweiten Verbindungen und Partnerunternehmen machtbewusste Spieler im Kunstbetrieb. Sie sind organisiert wie mittelständische Unternehmen, Mitarbeiterstäbe und Abteilungen kümmern sich um Messeaktivitäten, Pressearbeit, den Künstlerkontakt und die Kundenpflege, die angesichts einer global gestreuten Klientel besonders viel Energie in Anspruch nimmt. Für die Werke ihrer durchweg berühmten Künstler führen sie ellenlange Wartelisten. Deshalb kann auch nicht jeder Hinz und Kunz mit dicker Brieftasche ankommen und die Arbeiten angesagter Künstler in der Galerie kaufen. Da ist guter Rat teuer. Entweder zahlt der Interessent dann spektakuläre Rekordpreise bei Auktionen oder – ohne Berater geht heute gar nichts mehr – er lässt sich vom gut bezahlten Art Consultant helfen. Der vermittelt den Kontakt und stiftet ein geselliges Zusammenkommen zwischen Neukunde und Galerist. Wahlweise kann natürlich ebenso ein altgedienter Sammler zur Aufnahme in den illustren Kreis verhelfen. Denn das Schlüsselwort Vertrauen gilt auch für das Verhältnis zwischen Galeristen und Sammlern. Die sollen die erworbenen Arbeiten, gleichwohl sie nicht nur als Kulturgut, sondern auch als Wertanlage betrachtet werden, möglichst nicht weiterverkaufen. Der Galerist qualifiziert seine Kundschaft nach Prioritäten, was bedeutet, dass nicht jeder bekommt, was er will. Sogar Charles Saatchi klagte über wichtigtuerische Kunsthändler: »Machtgeil und gönnerhaft, wie sie sind, würde es besser zu diesen Wächtern des guten Geschmacks passen, als Türsteher eines Nachtklubs zu arbeiten und darüber zu entscheiden, wer durch die samtene Absperrung gelassen wird.« Dabei bauen viele Galeristen mithilfe ihrer günstigen Geschäftsbeziehungen im Hintergrund eine eigene Sammlung auf. Die Händler genießen den schon seit einigen Jahren anhaltenden Aufwind. Der Berliner Galerist Michael Schulz schwärmt: »Früher suchte ein Sammler aus 100 Bildern aus. Heute prügeln sich 100 Sammler um ein Bild.« Sicher hat er immer genug Taschentücher parat, denn »Sammler weinen wirklich«, wenn sie ein Bild nicht bekommen können.

SCHWARZE LISTEN

Mit Rückkaufgarantien versuchen Galeristen, die Preise unter Kontrolle zu halten – bei noch nicht etablierten Künstlern werden diese Garantien auch gern Optionen genannt. Noch in den 1980er Jahren kamen die Sammler schnell in Teufels Küche. »Sie wussten nicht, wenn sie ihre Arbeiten auf Auktionen anboten, dass eine Galerie die andere anruft und sagt: ›Verkauf diesem Sammler nie wieder etwas‹. Diese ... Leute kamen auf eine schwarze Liste, weil sie auf Auktionen verkauften«, berichtet die renommierte New Yorker Galeristin Andrea Rosen. Das war früher einfacher, heute ist die Zahl der Sammler unübersichtlicher, ihre Ambitionen sind nicht so leicht im Auge zu behalten. Der Galerist ist daran interessiert, dass keines der verkauften Werke zum Gegenstand von kurzfristigen Spekulationsgeschäften wird. Allerdings behält er es sich selbst vor, einen Künstler zur Auktion zu bringen, wenn er es für richtig hält. Dann geht es darum, der Preisentwicklung des Künstlers über diesen sogenannten zweiten Markt neue Impulse zu geben. Martin Kippenberger, seinerzeit ein eher randständiger Provokateur des Kunstbetriebs, der mit Trash und aggressivem Zynismus operierte und ein qualitativ sehr gemischtes Œuvre hinterließ, erfuhr nach seinem Tod 1997 eine aberwitzige Metamorphose. Massive Händler- und Sammlerinteressen führten zu einer regelrechten Heiligsprechung. An allen Fronten arbeitete man daran, ihn vom Hanswurst der Kunst zum Künstlerstar zu stilisieren. 2003 wurde ihm sogar der Deutsche Pavillon auf der Biennale von Venedig gewidmet. Da kam er plötzlich wie ein Staatskünstler daher, dessen überstrapazierte Witze längst schal geworden waren. Parallel lieferten seine Händler Werke bei Auktionen ein, sodass Kippenberger eine immense Wertsteigerung erfuhr. Für seine seltsame Heiligsprechung und Überpräsenz in den Museen freilich kann Kippi nicht haften.

Allzu rasche Preisschübe sind für die langfristige Karriere eines Künstlers riskant, sie bergen die Gefahr des jähen Absturzes. Der Alptraum eines jeden Galeristen sind Gewinnmitnahmen der Sammler, die plötzlich Werke seiner Künstler auf den Markt werfen. Der Markt ist satt, der Künstler durch. Die Werke bleiben unverkauft. Manchmal steigern Galeristen bei Auktionen verdeckt mit, um ihre Künstler vor solchen Abstürzen zu retten. Aber auch, um Arbeiten für das eigene Lager zu erwerben und die Werke später gezielt in eine bestimmte Sammlung zu bringen. Manche Händler simulieren Verkäufe, um das Angebot künstlich zu verknappen und Torschlusspanik bei Kaufinteressenten auszulösen. Vor dem Kunstcrash des Jahres 1990 war es auf Messen und Vernissagen eine beliebte Masche, durch aufgeklebte rote Punkte Bilderverkäufe anzuzeigen, die gar nicht stattgefunden hatten. Die Werke mussten danach jahrelang im Depot versteckt werden, um die Lüge aufrechtzuerhalten.

Viele Galeristen schimpfen zwar auf die Spekulationssucht im Kunstmarkt, beteiligen sich aber selbst daran. Oft geht es um Werke von etablierten Künstlern, die sie nicht unbedingt im eigenen Programm haben und die bereits einmal im Bestand einer Sammlung waren. Ob vorn im Ausstellungsraum die eigenen Künstler oder hinten im sogenannten Showroom die Warhols und Co.: In jedem

Fall bleibt der Handel diskret – selten gibt es Kaufverträge, viele Abmachungen werden per Handschlag besiegelt, oft bleibt es ein Geheimnis, welcher Preis wirklich für eine Arbeit gezahlt wurde. Ein Kunstwerk hat letztlich den Preis, den jemand dafür zu zahlen bereit ist, oder wie Picassos Galerist Henry Kahnweiler einmal so schön sagte: »Man zahlt nie zuviel für etwas, das keinen Preis hat.«

DIE SUPERTANKER DES KUNSTHANDELS – AUKTIONSHÄUSER

»Ich kann mich nicht beklagen. Es war ein guter Tag«, kommentierte Damien Hirst, Leitwolf der britischen Künstlerzöglinge Saatchis, sein spektakuläres Auktionsergebnis von 11,1 Millionen Pfund. Im perfekten Timing hatte der Künstler parallel zur Londoner Kunstmesse *Frieze* 2004 nicht etwa große Hauptwerke von sich bei Sotheby's unter den Hammer bringen lassen, sondern schlicht die Einrichtungsgegenstände eines Lokals, das Hirst mit ein paar Geschäftspartnern betrieben hatte. Neben zwei Medizinschränken (2,4 Millionen Pfund) kamen Martinigläser (4.000 Pfund), mit Hirst-Pünktchen dekorierte Toilettentüren (12.000 Pfund) und sonstiger Flohmarktplunder zur Versteigerung. *Pharmacy* hieß Hirsts Themenkneipe im Apothekenlook, in der er selbst sein bester Kunde war. Zwischen 1998 und 2003 zechte er hier mit Kumpels, Kunden und solchen, die eines von beidem werden wollten. Neben gestressten Hedge-Fonds-Managern gehörten auch Robbie Williams und Kate Moss zu denen, die sich hier nach einem harten Arbeitstag ihre Drinks von Kellnerinnen in OP-Kitteln von Prada servieren ließen.

Seit 1998 sind die Preise für zeitgenössische Kunst rasant gestiegen. In jenem Jahr kam Gérard Goodrow, damals bei Christie's Experte für zeitgenössische Kunst, auf die Idee, auch ganz frische Arbeiten unter den Hammer zu bringen. Sotheby's, Philipps oder Christie's veräußern Kunstwerke – vor allem im Auftrag privater Besitzer. Im Gegensatz zum Primärmarkt der Galerien mit ihren Wartelisten darf hier jeder mitbieten – vom braven Bausparer bis zum Mafioso, der schnell ein paar Geldbündel durch die Waschanlage schicken muss. In den letzten Jahren haben die großen Auktionshäuser an Bedeutung gewonnen, und auf diesem zweiten Markt werden oft spektakuläre Preise erzielt. Manch ein renommierter Kunsthändler, wie Gilbert Lloyd von Marlborough Fine Art, leidet unter der neuen Konkurrenz: »Auktionshäuser sind die Staubsauger für Kunst. Auktionshäuser sind die Feinde der Galerien.«

JEDE MENGE FAULE TRICKS

Wenn die Auktionshäuser ein Werk auf jeden Fall in einer Auktion haben wollen, geben sie den Einlieferern oft unrealistisch hohe Preisgarantien. Erreicht ein Werk nicht den vom Einlieferer gewünschten

Mindesterlös, wird es oft vom Auktionshaus eingekauft. Der Verkäufer erhält einen vorab ausgemachten Garantiebetrag, und das Auktionshaus behält die Ware bis zum Verkauf an einen diskret ausgewählten Händler oder Sammler. Die andere Methode, den Garantiepreis zu halten, besteht in einer verdeckten Rückkaufaktion. Wird der angepeilte Reservepreis für ein Werk im Saal nicht geboten, ersteigert ein Mitarbeiter des Auktionshauses inkognito das Werk, und der Besitzer erhält es zurück, wobei er selbst die Kommissionskosten zu tragen hat. In der Umsatzstatistik des Hauses erscheint dieser Scheinverkauf als normale Transaktion, die aber keinesfalls bekannt werden darf, sonst wäre das Werk verbrannt und müsste jahrelang vom Markt genommen werden. Ein anderer Trick besteht darin, dass der Besitzer verdeckt auf sein eigenes Bild bietet, es ersteigert und später diskret dem Zweit- oder Drittplazierten anbietet. Egal, welchen Verlauf das Spiel nimmt. Gewinner ist immer das Auktionshaus, das nicht nur vom Einlieferer üblicherweise 15 bis 20 Prozent des Erlöses verlangt. Auch der Sammler mit dem Zuschlag löhnt über den Auktionspreis hinaus ein sogenanntes Aufgeld von 15 Prozent als Gebühr an das Haus. Dazu kommen noch mal die Mehrwertsteuer sowie Versicherungs- und Transportkosten. Kein Wunder, dass geschickte Auktionatoren wie Tobias Meyer als Stars der Branche gelten. Sie eint mehr mit David Copperfield als mit den Plaudertaschen der Kunstmessen, die gemeinhin schon als Verkaufstalente gelten. Ein guter Auktionator kann das Publikum im Saal ins fest eingeplante Auktionsfieber versetzen. Er inszeniert Bietergefechte, spricht die Kontrahenten direkt an, beleidigt sie womöglich und packt sie unter den Augen der versammelten Gesellschaft bei der Ehre, sodass die Sammler regelmäßig über ihr persönliches Limit gehen. Dabei können gezielt in Sammlerkreisen gestreute Gerüchte helfen, wer sich für welches Los der Auktion interessiert. Dann sind Hahnenkämpfe programmiert. Im Auktionssaal sitzen auch Strohmänner aller Art, zum Beispiel die Einkäufer der so gefürchteten wie belächelten Superreichen Russlands: »Sie bieten unemotional, kommen in Trainingsanzügen und zahlen die Riesensummen stets ohne Verzug«, beobachtete ein Münchner Auktionator staunend. Bereits im Vorfeld großer Transaktionen und Auktionen senden Sotheby's und Co. prominenten Interessenten die Kunstwerke für einige Zeit zur Probe nach Hause. Passt der Picasso über die weiße Ledercouch? Für frühe Zusagen werden Rabatte gewährt und gelegentlich räumen die Auktionshäuser den Kunden inoffizielle Kredite ein, finanzieren den Kauf also selbst. Im Fall des Australiers Alan Bond gab Sotheby's 1987 die Hälfte des Kaufpreises für van Goghs *Irisblüten* in Höhe von 53,9 Millionen Dollar (damaliger Weltrekord für ein Kunstwerk) als Kredit. Bond ging aber in Konkurs und der Handel flog auf.

AUFSCHLÄGE UND ABSCHLÄGE

Die Vertreter der großen Auktionshäuser reisen ständig umher, um hochwertige Werke für Versteigerungen zu finden. Dabei machen sie den Sammlern manchmal so unverschämt attraktive Angebote, dass selbst standhafte Kunstliebhaber umfallen. Möglicherweise ging Hans Grothe 2001 auf ein solches Angebot ein, als er große Teile seiner Fotografiesammlung in New York unter den Hammer brachte. Laut war die allseitige Empörung über diesen Schachzug des Sammlers, der allein für einen Fotoabzug von Andreas Gursky den Rekordpreis von 600.000 Dollar erzielte. Doch welcher Kaufmann wird nicht schwach bei einer Rendite von rund 2.100 Prozent in drei Jahren? Kann man sich darüber so einfach echauffieren? Vielleicht steckt hinter dem Deal auch ein guter Zweck. Entweder investiert der Sammler anschließend wieder in Kunst – immerhin eine Chance für neue Künstler – oder er finanziert den längst überfälligen Umbau seiner Villa. Die Baubranche muss ja ebenfalls leben.

In jeder Saison gibt es neue Künstler auf dem Auktionsmarkt, die dort eigentlich noch gar nichts verloren haben. Ein gefährliches Spiel für junge Talente. Wer bei großen Auktionen schlecht abschneidet, kann sich früh die Karriere ruinieren. In jedem Fall prüft der Auktionsmarkt unbarmherzig die längerfristige Wertbeständigkeit von Kunstwerken. So erzählt der New Yorker Galerist Jeffrey Deitch, dass es von einer ganzen Generation von 1.000 Künstlern, die in den 1980er Jahren ernst zu nehmende Ausstellungen in New York hatten, nur 15 auf dem zweiten Markt geschafft hätten. Immer mehr Sammler wollen wissen, ob ihre Künstler auf dem Auktionsmarkt bestehen können. Daher werden die Abstände vom Kaufdatum bis zur Auktionsveräußerung immer kürzer, während die Preise treibhausartig wuchern. Solange der Markt expandiert, werden auch weiterhin immer neue Rekordmeldungen über die teuersten Bilder der Welt verkündet werden.

KUNST ALS SPEKULATIONSOBJEKT?

Doch ist Kunst im Allgemeinen überhaupt als Anlage- oder Spekulationsobjekt geeignet? Von den Kunsthändlern kommen widersprüchliche Signale. Wortreich schwärmen sie von einer spannenden Zeit, die expandierende Märkte für Händler nun mal so mit sich bringen. Gleichzeitig animieren sie bei jeder sich bietenden Gelegenheit den Neueinsteiger zum Kauf aus Liebe. Der um peinliche Kommentare niemals verlegene Gerd H. Lybke meint: »Man muss kein Experte sein, Liebe reicht« – am besten noch gewürzt mit blindem Vertrauen zum Galeristen? Tatsächlich zeigen langfristig angelegte Preisuntersuchungen bei Auktionen, dass Kunstwerke in den vergangenen Jahrzehnten ähnlich gute Erträge erzielten wie Aktien. Doch der Kunstmarkt erschwert das Spekulieren: Im Vergleich zu den Wertpapieren der Indizes werden Kunstwerke viel seltener gehandelt, oft werden verkaufte Werke erst nach Jahrzehnten wieder angeboten. Der Kunstmarkt ist also erratischer, zeigt größere Ausschläge als die Börse. Er ist insgesamt von einer florierenden Wirtschaftslage abhängig, aber die Preisentwicklung von einzelnen Kunstwerken hängt nur schwach mit der Börsenentwicklung zusammen. Innerhalb des Kunstmarktes können verschiedene Werkgruppen und Stilrichtungen unterschiedliche, sogar gegensätzliche Preisentwicklungen aufweisen. So können die Preise für Impressionisten sinken, während zeitgenössische Kunst immer neue Auktionsrekorde verzeichnet. Wenn Werke eines Künstlers auf Auktionen Spitzenpreise erreichen, ist das für die langfristige Entwicklung noch lange kein sicherer Orakelspruch, da der spekulative Anteil in der Bewertung viel größer ist als am Aktienmarkt. Dort immerhin gibt es halbwegs standardisierte Reglements für die Erfassung von Firmendaten und somit die Qualität eines Unternehmens. Ein hoch gehandelter zeitgenössischer Künstler kann absacken, dann aber ein grandioses Comeback feiern; er ist unter Umständen dem Druck des internationalen Ausstellungsbetriebs nicht gewachsen und dreht durch; er kann zu früh sterben. In letzterem Fall hält sich unter Umständen das Interesse an dem übersichtlichen Werk wie beim Warhol-Jünger Jean-Michel Basquiat; in anderen Fällen, wie dem 2002 tödlich verunglückten Michel Majerus, ist die Wertentwicklung fraglich. Und schließlich stellt die von den Statistiken erfasste Auktionsware schon eine positive Vorauswahl aller gekauften Kunst dar: Schwer zu veräußernde oder gar unverkäufliche Kunst wird erst gar nicht eingeliefert, und wenn doch, dann wird sie in den schläfrigen Nachmittagsauktionen verkauft. Da schaut kein Journalist zu.

BAUERNFÄNGER KUNSTFONDS?

Die Diskretion rund um die Preisgestaltung und das enge Beziehungsgeflecht von Insidern erschweren Anlegern den Einblick in den Kunstmarkt. Zeitschriften wie *Capital* oder *Art Review* versuchen mit Künstlerranglisten schnelle Orientierung zu schaffen, doch Künstler die dort auftauchen, sind schon bald unerschwinglich. Wer keine Zeit hat, sich intensive Marktkenntnisse und Kontakte mit Händlern anzueignen, kann sich in die Arme der Experten von Banken und Kunstfonds werfen. Der Glamour-Faktor, den das Sammeln von Kunst mittlerweile für sich in Anspruch nimmt, bleibt dabei allerdings auf der Strecke. Mithilfe von Beratern und Marktkennern erwerben diese Fonds Werke, die sie nach einer gewissen Haltezeit mit möglichst hohem Gewinn veräußern. Aufgrund der verdichteten internationalen Wirtschaftsbeziehungen beeinflussen sich auch die einzelnen Anlagemärkte immer stärker und können sich im Fall einer Rezession herunterziehen. Vor diesem Hintergrund suchte man nach unabhängigen Investments, um angelegtes Vermögen auf breiterer Basis zu stabilisieren. Die Vermögensverwalter kamen zu der Überzeugung, dass sich Kunst optimal zur »Diversifikation von Vermögensportfolios« eigne. Theoretisch. Allerdings hat es in den letzten zehn Jahren keinen nachweislich erfolgreichen Kunstfonds gegeben. Die DG-Bank schloss im Jahr 2000 klammheimlich die Akte Kunstfonds mit mehr als hundert Werken der Klassischen Moderne. Doch das hindert selbsternannte Visionäre des Marktes nicht daran, immer wieder einen Versuch zu wagen. Im Jahr 2006 war es an der Art Estate AG aus Hamburg, die Sau durchs Dorf zu jagen. Deren Galeriedependancen in deutschen Großstädten mit dem musisch klingenden Namen Vonderbank verströmen aber gerade mal so viel Charme wie eine Provinzsparkasse mit Ausstellungsbetrieb.

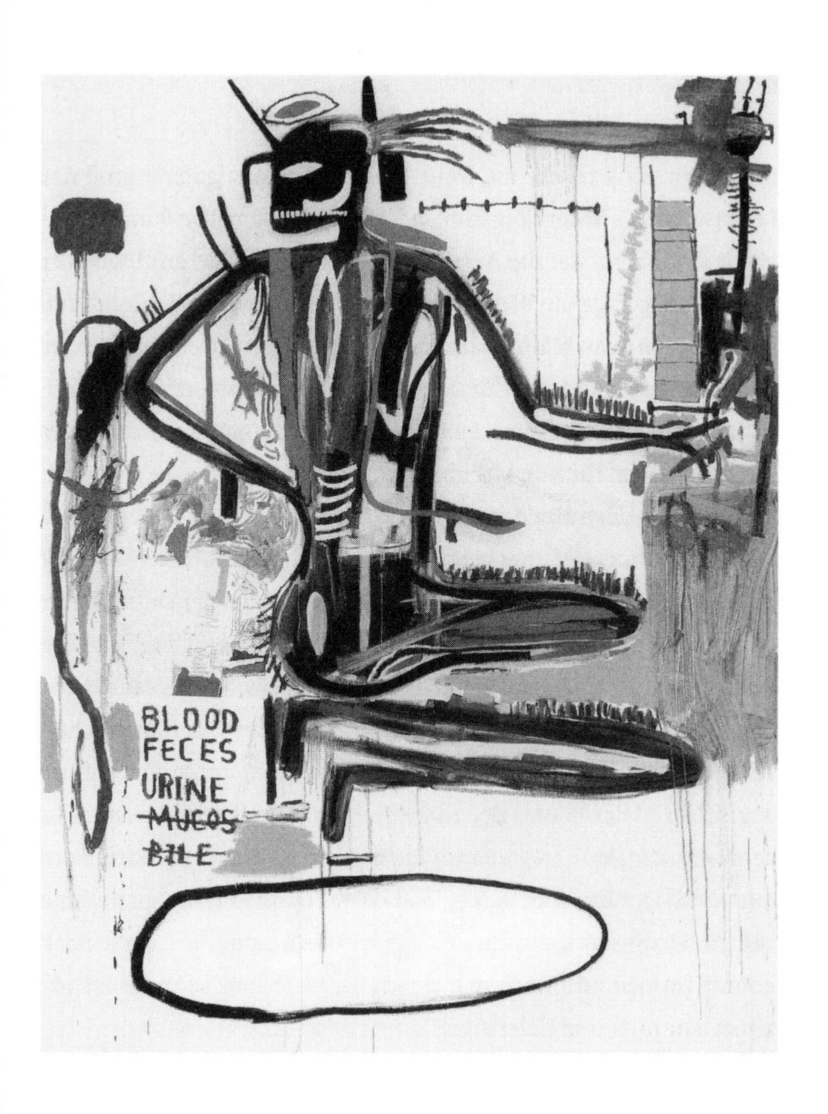

■ Im Schlund des Kunstmarktes – Jean-Michel Basquiat, *Pharynx*, 1985. Er mimte den wilden, schwarzen Graffiti-Boy aus dem Ghetto und schloss eine Marktlücke in der weißen Kunstwelt. Der kometenhafte Aufstieg endete für den Sohn eines gut situierten Buchhalters 1988 mit einer Überdosis Heroin – seine Sucht war ein offenes Geheimnis

VON DER QUALITÄTSINSTANZ ZUM DURCHLAUFERHITZER: DIE MUSEEN

Im Herbst 2005 feierte die Neue Berliner Nationalgalerie groß das Lebenswerk des Malers Jörg Immendorff. Als der damalige Bundeskanzler Gerhard Schröder die Ausstellung seines Freundes eröffnete – er selbst hatte gerade die Wahl verloren – drängte sich der Eindruck auf, hier stünden zwei Männer am Ende ihrer Karriere. Der Kanzler war politisch gescheitert, der Künstler schwer krank. Immendorff gehörte in den 1960er Jahren zu Beuys' Lieblingsstudenten, obwohl der Meister mit dem Hut von Malern sonst nicht viel hielt. Auf die Leinwand schmierte der Schüler damals die Parole ›Hört auf zu malen!‹. Und tatsächlich hörte er mangels Erfolg bald damit auf. Der Galerist Michael Werner kaufte seine Gemälde, die im Keller der Düsseldorfer Akademie vor sich hingammelten, zum Materialwert und schaffte es, sie gewinnbringend zu veräußern – das war bei Werners Einkaufspreis allerdings keine Kunst. Also legte Immendorff, der inzwischen als Hauptschullehrer tätig war, wieder los und wurde im Sog des deutschen Maler-Booms der 1980er Jahre international bekannt. In der Nationalgalerie fragten sich unlängst viele Besucher, warum ein mittelmäßiger Künstler eine so bombastisch inszenierte Ausstellung bekam. Doch dank einflussreicher Unterstützung aus der Politik konnte Immendorff noch mal richtig auftrumpfen, sehr zur Freude seiner Sammler und Galeristen.

SCHWACHE MUSEEN – STARKE SAMMLER

Die Stärke des Großsammlers hängt mit der Schwäche der staatlichen Museen zusammen, die sich den Ankauf zeitgenössischer Kunst nicht mehr leisten können und auf Leihgaben angewiesen sind. Großsammler schaffen es immer häufiger, den Museen komplette Sammlungsbestände auf Leihbasis aufzudrücken und sie als wertsteigernde

Durchlauferhitzer zu nutzen. Im Übrigen sparen sie damit auch tüchtig Steuern, wenn sie ihren Besitz der Öffentlichkeit zugänglich machen. Manch eine Sammlung, die eigentlich nicht museumstauglich ist, kommt auf diese Weise doch noch zu Ehren. Viele Sammler kaufen nicht selbst, sondern lassen Kunsthändler und Berater für sich arbeiten. Dabei entstehen oft gähnend langweilige Sammlungen: Überall dominieren die renditeträchtigen Top-40-Künstler des internationalen Marktes.

Das Museum ist immer die klassische Endlagerstätte für Kunst gewesen, die sich in der Öffentlichkeit und auf dem Kunstmarkt etabliert hatte. Promovierte und verbeamtete Kunsthistoriker entschieden, welche Kunstwerke nach welcher Anstandsfrist in die heiligen Hallen aufgenommen werden durften. Die Schinken mussten gut abgehangen sein. In früheren Jahrzehnten war das Museum ein Tempel, den nur wenige Künstler zu Lebzeiten dekorieren konnten – es musste seine Neutralität und Unabhängigkeit wahren. Heute sind die Karrierestufen Kunsthandel – öffentliche Wertschätzung – Aufnahme ins staatliche Museum ziemlich durcheinandergeraten. In Museumsausstellungen sind tonnenweise junge Modekünstler präsent, von denen niemand weiß, ob sie in zehn Jahren noch jemand kennen wird. Dies ist eine Folge des Kostendrucks, dem die staatlichen Einrichtungen ausgesetzt sind. Durch die Ausrichtung von attraktiven Großausstellungen mit bekannten Namen, durch populistische Events und provokante Spektakel sollen möglichst hohe eigene Einahmen erzielt werden. Somit spielen die staatlichen Museen heute oftmals die traurige Rolle des Goldesels für den bei ihnen geparkten Privatbesitz. Ein weiteres Problem sind die überquellenden Depots vieler Museen. Nur wenige Häuser wie das New Yorker Museum of Modern Art verkauften bisher Werke, um die Sammlung zu verbessern – die Stifter werden anstandshalber vor dem Verkauf benachrichtigt. Deutsche Museen tun sich hier noch schwer.

Wie soll man dem Drang der Sammler ins Museum begegnen? Ohne sorgfältige, vertraglich vereinbarte Sicherheiten kann es für Museen verheerend sein, wenn ein Sammler seine Leihgaben oder Teile davon abzieht. So erging es dem Mönchengladbacher Museum Abteiberg, als der Sammler Erich Marx 1996 entschied, seine Beuys-Werke, darunter die Großplastik *Unschlitt*, lieber in Berlin zu präsentieren. Das Museum musste aufgrund einer vertraglichen Vereinbarung dafür auch noch den Spezialtransport bezahlen, der immerhin mit 300.000 DM zu Buche schlug. Kenner meinten, dass man dafür die Arbeit zu einem früheren Zeitpunkt fast schon hätte kaufen können. So manches Mal fragt man sich, wer in welchem geistigen Zustand diese Verträge eigentlich aushandelt.

SPEEDY GONZALES AUF WELTTOURNEE – DER KURATOR

Der verbeamtete Museumskustos wirkt geradezu altbacken gegen den Typus des internationalen Ausstellungsmachers, der wie ein hochdotierter Manager für einzelne Ausstellungen verpflichtet wird. Allerdings ist auch hier das unausgesprochene Karriereziel, einen institutionellen Heimathafen zu haben – allein schon des festen Gehalts wegen. Kuratoren sind eine Mischung aus Künstler, Fundraiser, Talentsucher und Hauswart. In den 1990er Jahren galten sie als die neuen Stars der Kunstwelt. Demgemäß bemühte man sich um eine Legendenbildung, die früher nur Künstlern zuteil wurde. Ein Kunstmagazin beschrieb Hans-Ulrich Obrist, den derzeitigen Codirektor der Londoner Serpentine Gallery, und lieferte dabei die unfreiwillige Karikatur eines hyperaktiven Tausendsassas: »Er ist Superhirn, Sprachgenie und Zeitzonenreisender ... Er gönnt sich angeblich täglich nur vier Stunden Schlaf, eingeteilt in 30-Minuten-Rhythmen. Den Rest der Zeit bereist er den Globus, erfindet Themen und Konzepte, hält enzyklopädische Vorträge, die seinem Publikum ungeahnte Horizonte zu intellektuellen Meta-Universen eröffnen.« Starkuratoren haben durch ihre Führungsposition bei großen Ausstellungen wie der *documenta* großen Einfluss auf den Kunstbetrieb. Sobald die Künstlerteilnehmerliste dieser Großausstellung veröffentlicht wird, schießen die Preise ins Kraut. Wie der Oscar in der Filmindustrie kann die *documenta*-Teilnahme ein verkaufsförderndes Argument sein, aber ob sich die Auseinandersetzung mit dieser Kunst für den Besucher wirklich lohnt, steht auf einem anderen Blatt. Und nicht für alle Teilnehmer führt der Weg danach unaufhörlich nach oben. Die Kunst muss verkäuflich sein und sie muss eine Story haben. Sonst krepeln die Künstler nach den 100 Tagen weiterhin mit kurzfristigen Stipendien und Lehraufträgen herum wie vorher. Händler und Sammler, die durch persönliche Kontakte mit dem Kurator schon vorher wissen, welche Künstler teilnehmen, können rechtzeitig investieren und absahnen – ein typischer Insiderhandel des Kunstbetriebs. Die titanische Mission des Kurators formulierte Roger M. Buergel, künstlerischer Leiter der *documenta 12*. Er gab als Ziel der Ausstellung an, das Verständnis zeitgenössischer Kunst zu fördern, ohne in einer Kirmessituation zu versacken: »Wir sind die Ausstellung für zeitgenössische Kunst. Hier werden die Modelle erschaffen, die die nächsten zwanzig, dreißig Jahre den Kunstmarkt bestimmen. Wenn wir das nicht leisten, sind wir tot.«

ZWISCHEN GENIE UND PEINLICHKEIT

Die Macht und Selbstherrlichkeit der Kuratorenstars ist bekannt. Trotzdem tun manche immer noch reichlich bescheiden: Der Senkrechtstarter Klaus Biesenbach, derzeit MoMA-Kurator und für viele Galeristen und Künstler hierzulande ›Unser Mann in New York‹, sieht sich als Forscher, der den Künstlern dient und mit dem Publikum auf

DAS SIEHT DOCH
EIN BLINDER, DASS DAS
BILD AUF DEM KOPF
HÄNGT !
PERSCHEID

Augenhöhe kommuniziert. Einen nicht unerheblichen Anteil am Erfolg hat seine Fähigkeit, auch mit den suspektesten Politikern auf Kuschellinie zu kommen. So gelang ihm der Aufbau der KunstWerke, einer mittlerweile angesehenen Adresse für zeitgenössische Kunst in Berlin. Höher anzurechnen ist allerdings sein Anspruch, unbestechlich zu sein und Künstler auch persönlich zu kritisieren. Eine Sache, die im internationalen Kunstzirkus Seltenheitswert hat. Sein Kollege Nicolaus Schafhausen, ein ehemaliger Künstler, glaubt sogar, dass das, was ihn interessiert, in fast allen Fällen auch das Publikum interessiere. Hier täte vielleicht etwas weniger Eigenlob gut. Joseph Backstein, Gründer des Moskauer Instituts für zeitgenössische Kunst, ist da schon ehrlicher: »Natürlich muss der Kurator die Wahrnehmung des Publikums manipulieren, in dem Sinne, dass es etwas als Kunst ernst nimmt und anerkennt, das nicht unbedingt wie Kunst aussieht.«

Ausstellungsmacher neigen zu flotten Themensetzungen oder ›Thesenausstellungen‹, um Aufsehen zu erregen. Mehr oder weniger griffige Schlagworte werden zur Steuerung der Meinungsbildung ausgegeben. Denn aus Sicht der Kuratoren sind die Vorbehalte und Missverständnisse gegenüber zeitgenössischer Kunst reine Vermittlungsprobleme. Wenn dann die öffentliche Aufmerksamkeit groß ist, sind die Kuratoren meist wieder über die flache Berichterstattung traurig. Nichts kann man ihnen recht machen. Und das Kunstpublikum ist traurig und manchmal richtig wütend, wenn es den Eindruck gewinnt, dass allein der Titel einer beliebig zusammengewürfelten Ausstellung den Sinn gibt. Die Ausstellungsmacher hoffen, mit ihren Titelkreationen den Zeitgeist einzufangen oder relevante Denkanstöße zu geben. Dabei entstehen manchmal Wortkapriolen besonderer Güte:

Reservate der Sehnsucht – Der Stand der Dinge – Die Liebe zum Licht – Die Schönheit der Chance. Oder etwas kryptischer: *Re: Location Shake –*

Media in Transition – fort und fort – sehen sehen. Schön auch: *h:min:sec* für eine Videoausstellung. Das können Sie auch!

Neben den wenigen Kuratorenstars gibt es natürlich auch zahllose kleine Lichter in dieser Branche, die Skala ist nach unten offen. Das Berufsbild des selbstständigen Ausstellungsmachers wurde bald auch für viele gescheiterte Künstler und beschäftigungslose Geisteswissenschaftler attraktiv, die sich in Kulturmanagementkursen umschulen ließen.

EIN FOSSILER HUNGERLEIDER – DER KUNSTKRITIKER

Die schlechte Nachricht gleich vorweg. Professionelle Kritiker sind für den Laien keine verlässlichen Bündnispartner. Keine publikumsfreundliche Revolution ist in Sicht. Die Vorbehalte der Normalos stehen auf einem ganz anderen Papier als das Leid der Kritiker. Zwar haben beide derzeit einen schweren Stand, aber das ist auch schon die einzige Gemeinsamkeit. Es stimmt immer noch, dass etwas erst dann die Chance auf den Durchbruch im Kunstbetrieb hat, wenn es in einer renommierten Kunstzeitschrift behandelt wurde. Doch ist die intellektuelle und kritische Auseinandersetzung mit Kunst durch die großen Geldströme an den Rand gedrängt worden: Diskurs ist out. Kunstkritik ist unter dem Druck der Star- und Eventkultur der Gegenwart zu einer Art Reklametext abgesunken. Man möchte lediglich zum Kauf von Werken oder Besuch von Ausstellungen animieren. Kaum ein freiberuflicher Kritiker traut sich noch, die Wahrheit über schlechte Kunst zu schreiben, weil er sich sonst Feinde machen und Aufträge verlieren könnte. Kaum ein Händler oder Museumsmitarbeiter wagt es noch, Kunstwerke schonungslos zu kritisieren und Modekünstler zurechtzustutzen, weil er Kunden oder Leihgaben verlieren würde. Der Kunstbetrieb hat sich durch die allgegenwärtige

Mehrfachverzahnung von Personen und Institutionen in Sachen Qualitätskontrolle selbst gefesselt. Auf diese Weise ist die Kunstkritik durch den Markt so domestiziert worden, wie es keine totalitäre Diktatur hätte besser machen können. Die Krise von Theorie und

Kritik begann aber schon weit früher. Die Pop Art in den 1960er Jahren war die erste Kunst, die auf die Kritik und den Intellekt pfiff. Sie hat tatsächlich einen ganz ›neuen Realismus‹, wie die Pop Art auch bezeichnet wurde, in der Kunst etabliert. Den Realismus des Geldes. Sie zielte direkt auf die Sammler, die PR – und das Publikum. Allerdings in erster Linie auf das Publikum der Zukunft. Das war die Lehre aus der Klassischen Moderne und wird auch heute durch die bekannten Blockbuster-Ausstellungen eindrucksvoller denn je belegt. Früher trösteten sich die Theoretiker, dass sie zwar im Gegensatz zu Kunsthändlern und Künstlern kaum Geld verdienten, dafür aber Einfluss auf die Entwicklungen der Kunst nehmen konnten. Heute sind sie neidisch auf das Geld *und* die Macht der Sammler und Händler.

EIN HERZ FÜR KÜNSTLER

Ein heruntergekommener Broker begleitet eine Frau, deren Gunst er erobern will, zu der Performance eines angesagten Künstlers. Der in Sachen Kunst unterbelichtete Ryan muss mit ansehen, wie sich der Performancekünstler mit einem Zapfhahn Farbe in den Anus füllt und selbige anschließend mit Mühe und in gekrümmter Haltung auf die Leinwand sprüht. Natürlich landet ein bisschen Farbe auch in Ryans Gesicht. Eine wahre Begebenheit? Ein Porno mit Anal-Artisten? Diese denkwürdige Szene aus der auch sonst angestrengten Hollywoodkomödie *Good Advice* von 2001 ist nur eine treffliche Illustration für das Unverständnis des Massenpublikums gegenüber der modernen Kunst. Der Künstler wird zur Ulknummer. Im Arthouse-Movie *The Big Lebowski* von 1998 fliegt Filmstar Julianne Moore als durchgeknallte Malerin wie eine Fledermaus durchs Atelier und kleckst im Flug Farbe auf die liegende Leinwand. Jackson Pollock hätte seine Freude daran gehabt. Für Hollywood scheint festzustehen, dass die Ateliers bevölkert sind von Psychopathen, Perversen, Versagern und

Drogensüchtigen. »Stimmt doch!« sagen nicht wenige Zeitgenossen. Freundlicher ausgedrückt gelten Künstler als Typen, die nicht ganz von dieser Welt sind. Und natürlich ist dieses klischeebeladene Bild auch schon längst wieder Gegenstand der Kunst geworden. In ihrem Video *Artist* von 1999 präsentierte die australische Künstlerin Tracey Moffatt einen illustrativen Zusammenschnitt vieler entsprechender Filmszenen. Der Bilderbogen reicht vom Schaffensakt über erfolglose Ausstellungen, den Spott des Publikums bis zur Zerstörung der Werke. Moffatt feiert den Künstler als Außenseiter.

SIND KÜNSTLER SPINNER?

»Die Künstler sind zum größten Teil opportunistisch, sie sind Arschlöcher, das muss ich jetzt auch mal sagen. Die Künstler sind die reaktionärste Klasse.« – Kein Kommentar eines Kunsthassers, sondern O-Ton von Joseph Beuys, der sonst kein Freund der Selbstkritik war. Der klassische Künstlermythos des rastlos schaffenden, völlig autonomen und heldenhaften Genius ist nie ganz verschwunden. Besonders im persönlichen Gespräch mit Künstlern wird man feststellen, dass viele noch immer eine vollkommen ich-zentrierte Weltsicht haben. In einem ehrlichen Moment bezeichnete sich der Bildhauer Gregor Schneider einmal als »egozentrischen, nur mit sich selbst beschäftigten, armen Irren«. Künstler sind Spinner! Das ging sicher jedem schon mal durch den Kopf. Doch das Abseitige, Versponnene und Eigensinnige gehört zum Berufsbild einfach dazu. Alles andere wäre furchtbar langweilig. »Menschen, die erkennen, dass die Fantasie der Meister der Realität ist, heißen ›Weise‹, und solche«, weiß der amerikanische Schriftsteller Tom Robbins, »die danach handeln, heißen ›Künstler‹. Oder ›Verrückte‹.« Wie konnte es so weit kommen?

Im 19. Jahrhundert verkörperte der Künstler das Gegenmodell zum ökonomisch erfolgreichen Bürger. Während Letzterer im florierenden Kapitalismus Geld und Prestige verdiente, lebte der Künstler in materieller Unsicherheit. Das, was er bar jedes Auftrags und aus tiefster Überzeugung herstellte, wurde im wahrsten Sinne des Wortes nicht gebraucht. Gleichwohl war er sich für Auftragsarbeiten, die jahrhundertelang das Leben der Künstler bestimmt hatten, zu schade. Nun galt das Leben gegen die Konventionen des Bürgertums und gegen den regelmäßigen Broterwerb als authentischer Ausdruck des Künstlerdaseins. Der demonstrative Opfermut unterstrich die prekäre Existenz des Künstlers – für die Bürger damals ein ebenso abschreckendes wie beeindruckendes Schauspiel. Aus ihrer Sicht lagen Genie und Wahnsinn des Künstlers dicht beisammen, er galt ihnen schlicht als anderer Menschentyp – als Bohemien. Viele Künstler bestätigten diese Erwartungshaltung und suchten die Nähe zu gesellschaftlichen Außenseitern, unterdrückten Klassen, politischen Rebellen oder totalitären Bewegungen. Traditionell verachteten sie die bürgerliche Welt für ihre geistige Enge und ihren Drang nach materiellen Sicherheiten. Am liebsten war ihnen ein Aufstieg zu den Mächtigen, geradewegs an den Bürgern vorbei.

Neben der Boheme – der Begriff geht auf den bereits erwähnten Henri Murger zurück – flanierten im 19. Jahrhundert die Dandys. Der gut betuchte Dandy fühlte sich weniger durch seine Leidenschaft zur Kunst bestimmt als durch das Streben, einen durch und durch aristokratischen Stil zu kultivieren. Sein Lebensgefühl speiste sich aus dem Ekel gegen den empfundenen Niedergang eines Zeitalters, in dem man dennoch eine gute Figur abzugeben hatte. Sein Ehrgeiz, Karriere als Künstler zu machen, war weniger stark ausgeprägt. Was nicht heißt, dass es unter ihnen keine Meister gab. Der lang vergessene Impressionist Gustave Caillebotte war einer von ihnen. Er hat seine mittellosen Malerfreunde jahrelang finanziell unterstützt und ihre Werke gekauft, lange bevor jemand anders auch nur mit dem Gedanken spielte. Seine Sammlung vermachte er dem Staat mit der Auflage,

■ Zwirbelte jeden Morgen den Bart mit Kot vom Ozelot – Publikumsliebling mit dem feinen Pinsel Salvador Dalí 1973

sie angemessen zu präsentieren. Es dauerte bis drei Jahre nach seinem Tod 1894, dass der französische Staat das Erbe annahm und die Impressionisten schließlich in einer staatlichen Einrichtung dauerhaft ausgestellt wurden.

BOHEME ODER BÜRO?

Heute ist das Rollenspiel der Künstlergemeinde viel variantenreicher. Der klassische Gegensatz von Künstler und Bürger hat sich längst überlebt – ›Boheme‹ und ›Bourgeoisie‹ reihen sich friedlich in die Schlange beim Öko-Supermarkt oder treffen sich beim Kauf von Holzspielzeug für den Nachwuchs. Viele Züge einstigen Boheme-Daseins gehören heute zum alltäglichen Lebensstil. Temporäre Armut, zwei bis drei Neuorientierungen im Berufsleben und perspektivische Unsicherheiten sind weit verbreitet. Heute bevölkern die Künstler in Eintracht mit den Heerscharen der Freiberufler die Bars und Clubs der Metropolen. Hinzu kommt, dass im Geschäftsleben immer häufiger kulturelle Aufgeschlossenheit, kreatives und unkonventionelles Denken eingefordert werden. In sogenannten Innovationsworkshops und Kreativitätstrainings bildet Kunst ein stark strapaziertes Spielelement.

Was heute zählt, ist die Geste, mit der man sich selbst darstellt. Jeder Künstler kann sich selbst aus dem angebotenen Repertoire bedienen – je nachdem, welches Image am besten mit der Kunst korrespondiert. Legendenbildung gehört dabei in den Imagebaukasten jedes Künstlers. Joseph Beuys machte es mit seiner Tatarenlegende vor: Als sein Flugzeug im Zweiten Weltkrieg über der Sowjetunion abgeschossen wurde, bargen Einheimische den verletzten Piloten und übergaben ihn kurz darauf den deutschen Soldaten. Beuys machte daraus einen wundersamen Aufenthalt, bei dem er allein durch rituelle Praktiken und natürliche Materialien der Tataren gerettet worden sei. Seitdem waren Fett, Filz und Honig seine geheiligten künstlerischen Grundstoffe. Selten sind Kriegserlebnisse so hübsch veredelt worden.

Das Rollenspielangebot zeitgenössischer Künstler reicht vom spirituell angehauchten Visionär über den bohemistischen Bürgerschreck hin zum Akademieabgänger mit Altstar-Allüren. Außerdem im Angebot: asketische Denker oder Aussteiger im Geiste Paul Gauguins. Es gibt die stets freundlichen Arbeitsbienen, die ihren Erfolg hinter abgewetzten Allzweckwesten verstecken, ebenso wie die sendungsbewussten Antiintellektuellen. Doch über allem liegt eine gewisse Langeweile, es wirkt wie geschäftsmäßig routinierte Selbstinszenierung. Wo sind die wirklich schrägen Vögel? Überkandidelte Exzentriker wie Salvador Dalí, der laut eigener Aussage sein Bärtchen allmorgendlich mit dem Kot eines zahmen Ozelots zwirbelte, sind rar geworden. Dandyhaft gekleidet und großspurig bis über die Grenzen des Erträglichen, sprach er von sich selbst stets in der dritten Person. Dalí wohnte und malte in den 1960er Jahren im New Yorker Hotel St. Regis. Wenn immer er hörte, dass ein prominenter Gast im Hotel abstieg, eilte er in die Lobby, um den Ankömmling demonstrativ zu begrüßen, damit er so oft wie möglich in die Zeitung kam.

Findet man die wirklich schrillen Typen heute nur noch im Pop-Geschäft? Dorthin verschlug es schon in den 1960er Jahren viele Kunststudenten, die sich lieber in der Musik austobten, als sich durch die Kunstwelt zu quälen. Das Geschäft mit der Kunst hat sich verändert. Exzentrik allein reicht heute nicht mehr. Damien Hirst meinte einst, dass man idealerweise zu 100 Prozent Künstler sein sollte, aber die absolute Mehrheit von 51 Prozent würde auch reichen: »Wenn die restlichen 49 Prozent aus Entertainerqualitäten und Geschäftssinn bestehen, sind die Chancen nicht schlecht, es auf dem Markt sehr weit zu bringen.«

Doch eines haben die Kunstmarktkünstler mit den guten alten Bohemiens gemein. Jessica Morgan, die im angesagten Londoner Groucho Club arbeitete, erlebte hautnah den sozialen Aufstieg der *Young British Artists*, die sich dort als stolze neue Mitglieder der Upperclass aufführten und ihre Beziehungen zu Journalisten und Verlegern ausbauten. Besonders übel empfand sie deren Gepflogenheit, sich restlos volllaufen zu lassen und sich dann aller Hemmungen zu entledigen. Munter pissten die Artisten aus den Fenstern des ersten Stocks auf Passanten, nachdem sie stundenlang auf Stammtischniveau palavert hatten. Viel Alkohol zu vertragen gehört also noch immer zu den erforderlichen Sekundärtugenden eines Künstlers – daran hat sich in den letzten 100 Jahren nicht viel geändert.

BERAUSCHT VON SICH SELBST

Noch immer erwarten viele Menschen von einem authentischen Künstler einen rauschhaften Lebenswandel mit reichlich Alkohol, Drogen und dem vollen Partyprogramm. Die Begegnung mit Gerhard Richter wäre da für viele eine Enttäuschung. Seit Jahrzehnten gilt er als Gegenbild zum Bohemien und Partylöwen. Zurückgezogen und zu regelmäßigen Zeiten arbeitend, wirkt er auf Besucher eher wie ein Arzt oder Anwalt. Jeder nicht so berühmte zeitgenössische Künstler, der morgens um 9.00 Uhr mit der Aktentasche sein Atelier betritt, mittags seine Stullen verzehrt und um 17.00 Uhr seinen Schreibtisch penibel aufräumt, hätte heutzutage ein Imageproblem. Obwohl er wahrscheinlich kontinuierlicher und intensiver an seiner Kunst arbeitet als sein zugekokster Kollege, der nach einer Fete noch die ganze Nacht durcharbeitet – und die Ergebnisse am verkaterten Folgetag stillschweigend entsorgt. Doch ist ein Künstlerleben im Angestelltenstil nicht langweilig? Dann lieber Party machen, bis die Polizei kommt: Jörg Immendorff feierte gerne im Düsseldorfer Steigenberger

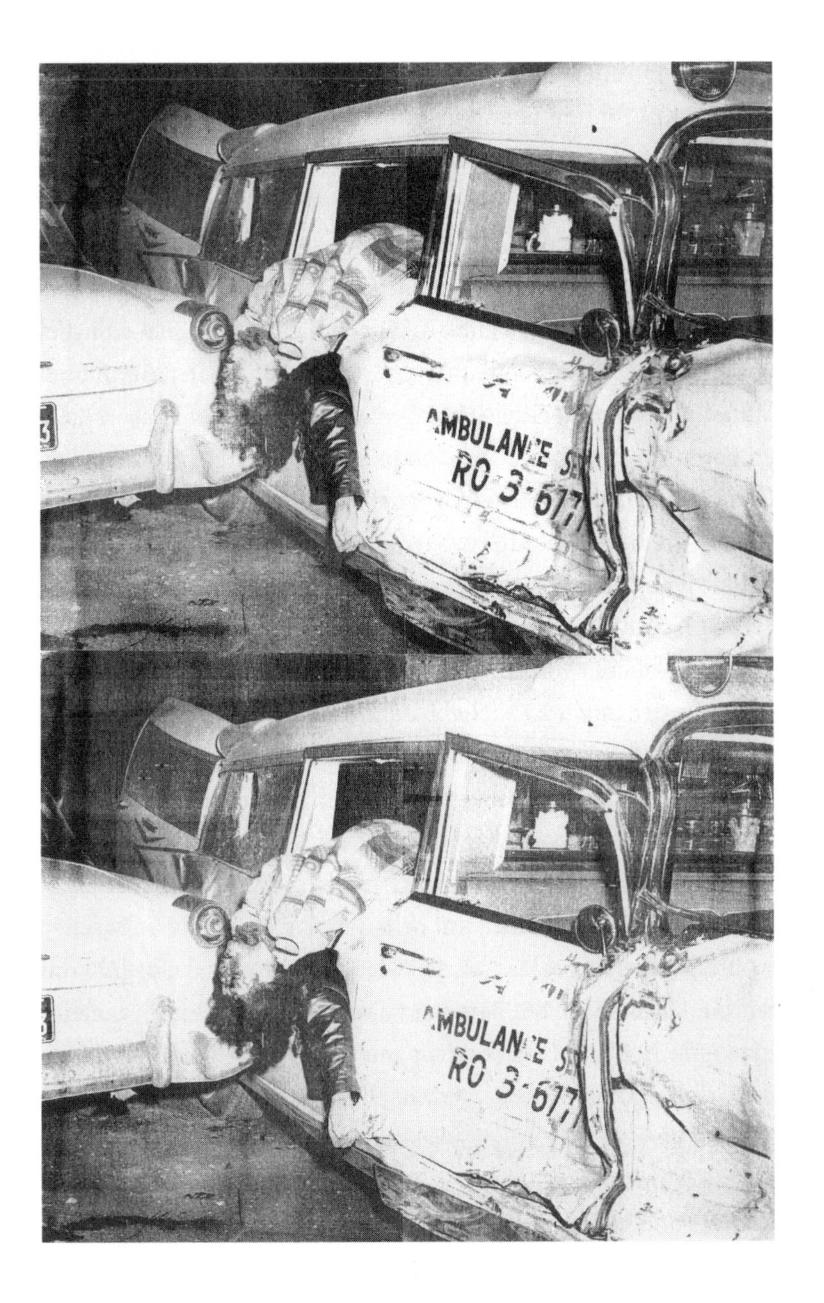

■ Die Kunst zwischen Bilderdurst und Voyeurismus – ein beliebtes Thema seit Warhols *Ambulance Disaster* von 1963

Hotel, bis ihn eine Razzia in peinliche Erklärungsnot brachte: Mit 20 Gramm Kokain und neun Prostituierten auf dem Zimmer hatte er schlechte Karten vor Gericht. Der Maler versuchte sich herauszureden, es habe sich um künstlerisch wertvolle »erotische Inszenierungen« gehandelt. Trotzdem wurde er wegen Drogenbesitzes und -weitergabe zu elf Monaten auf Bewährung und 150.000 Euro Geldstrafe verknackt. Der gesundheitlich bereits angeschlagene Künstler brauchte das Kokain offenbar zur therapeutischen Stimmungsaufhellung. Wer möchte sich angesichts der Umstände übermäßig empören? Man muss auch mal gönnen können. Witzig war Immendorff dabei allemal: Noch kurz vor der Razzia hatte er gemeinsam mit seinem Freund Gerhard Schröder einem Russischen Museum eine Skulptur namens *Die Nase* vermacht.

Die Liste der Alkohol- und Drogenopfer unter den Künstlern ist lang. Unter diesen Vorzeichen begegnete der amerikanische Sammler Adam Lindemann Jean-Michel Basquiat aus der New Yorker Grafittiszene, damals Schützling Warhols: So habe Warhol versucht, Lindemann einen jungen Künstler vorzustellen, mit dem er gerade einige Gemeinschaftswerke gemacht habe. Auf Lindemann wirkten die Arbeiten wie Zufallsprodukte. Irritiert sei er gewesen, dass der junge Künstler völlig benommen auf dem Sofa lag und nicht aufwachen wollte. Später rauchte Jean-Michel wieder einen Joint, der so groß war wie ein Maiskolben. Mit Basquiat nahm es ein böses Ende – beileibe kein Einzelschicksal: Im Sommer 2006 erlag Jason Rhoades, Meister des Trash und monströser Gerümpelinstallationen, bei einer Junkparty einem Drogenunfall wie seinerzeit Basquiat. Andere, wie Martin Kippenberger, erledigte der Alkohol. Auch Jackson Pollock bekam seine Sucht zeitlebens nicht in den Griff und fuhr am Ende betrunken gegen einen Baum. Der Drogentod hat dem Ruf der Künstler nicht geschadet. Im Gegenteil: Er gilt als Beweis für ihre intensive Art zu leben, die wir Spießer nie verstehen werden. Andererseits: Der bekannten Textzeile des alten Woodstock-Rockers Neil Young – »It's better to burn out, than to fade away« – wohnt eine gewisse Hinterhältigkeit inne. Neil nämlich singt immer noch!

UNVERWÜSTLICHE VISION: TRAUMBERUF KÜNSTLER

Vom Traum zahlloser Menschen, Künstler zu sein, profitierte auch die Reality-TV-Serie *Artstar* des New Yorker Galeristen Jeffrey Deitch. Er suchte acht unbekannte Künstler, die einen Monat lang in einem riesigen Atelier an der Sixth Avenue unter ständiger Beobachtung des privaten Fernsehsenders Gallery HD leben und arbeiten sollten. 400 Bewerber standen im eisigen Frühjahr in der Warteschlange vor der Galerie Deitch Projects, einige von ihnen hatten schon die Nacht dort verbracht, um gute Startpositionen zu haben. Andere versuchten durch ein grelles Outfit aufzufallen. Unter den exzentrischen Finalisten, die selbst als eine Art lebendes Kunstwerk auftraten, war auch der 68 Jahre alte Sozialarbeiter Sy Colen, der bis zum Casting allein mit seinen Holzfiguren in einer Kellerwohnung hauste. Vor den Kandidaten, die in der Sendung die einzigartige Chance sahen, bekannt zu werden, lagen nun einige herausfordernde Aufgaben: Gespräche vor laufender Kamera mit dem Starkünstler Jeff Koons, mit Kritikern und ein Besuch bei Tobias Meyer von Sotheby's. Den ersten Preis, eine Einzelausstellung in der Galerie von Deitch, bekam schließlich die Videokünstlerin Bec Stupak, eine telegene Blondine mit wilden Dreadlocks. Deitch hatte noch die Idee für eine Artparade, bei der sich die Künstler möglichst fantastisch kostümieren sollten, stieß damit aber nicht auf Gegenliebe – zu offensichtlich war die Demütigung der Künstler als Clowns. Spektakuläre Aktionen empfehlen sich immer wieder, um die Kunstwelt auf sich aufmerksam zu machen, wie Tony Shafrazis Attacke auf *Guernica* zeigt. Heute sind es

Künstler wie der amerikanische Bildhauer Daniel Edwards, die es mit kontrovers diskutierten Skulpturen versuchen: Mal ist es die Darstellung einer gebärenden Britney Spears, mal der in Bronze gegossene Stuhlgang des Babys der Hollywoodpromis Tom Cruise und Katie Holmes, mal eine Präsidentenbüste von Hillary Clinton oben ohne. Selbstverständlich sieht Edwards in seinen Geschöpfen jede Menge kritisches Potenzial. Sein Kommentar: »Die modernen Massenmedien schenken den Exkrementen eines Promis mehr Aufmerksamkeit als Hungersnöten, Gesundheitskrisen und Gesellschaftsproblemen.« Ob es sich hier um kritische Kunst oder Selbstvermarktung handelt: Für *First Poop* wird sich ein Sammler finden.

Etwas Besonderes ließ sich der Kunststudent Pablo Wendel während seines Auslandssemesters in China einfallen, indem er sich zwischen die Figuren der weltberühmten, 2000 Jahre alten Terrakotta-Armee stellte. Generalstabsmäßig hatte Wendel seinen kurzen Feldzug geplant, sich aus diversen Utensilien eine antike Uniform gebastelt und dann in der Ausstellung einen günstigen Moment abgepasst, um sich in die Grabbeigabe des Kaisers Qinshihuang einzureihen. Was für Wendel mit einem Verhör und einer Verwarnung durch die chinesischen Behörden glimpflich endete, ließ bei seinem Galeristen Reiner Brouwer daheim in Stuttgart die Telefone heiß laufen – perfektes Künstlermarketing im Jahr 2006.

DAS RIESENHEER DER ERFOLGLOSEN

Ungeachtet der schwierigen Berufsaussichten ist Künstler seit den 1980er Jahren ein Traumberuf. Die Hochschulen sehen sich jährlich hunderten von Bewerbern gegenüber, Berge von Mappen müssen nach vielversprechenden Talenten durchforstet werden. Tausende von Meisterschülern und Diplomkünstlern haben seither die Hochschulen verlassen. Heute gibt es in Deutschland mehr Künstler als

Bergleute oder Textilarbeiter. Etwa 360.000 Menschen arbeiten in künstlerischen Berufen, darunter fast 55.000 bildende Künstler. Für viele unbekannte Künstler wirkt das bange Erwarten, irgendwann doch noch entdeckt zu werden, wie ein Lebenselixier. Die Hoffnung stirbt zuletzt. Bei denjenigen, die schon zu lange warten, werden die Fragen der Verwandtschaft, wie man sich denn die Zukunft vorstelle, immer boshafter. Da sind die Beispiele späten Ruhms Balsam auf der verunsicherten Seele.

Der amerikanische Topkünstler Barnett Newman fiel zunächst dreimal durch die Zeichenlehrerprüfung – seine Frau musste das Geld für beide als Stenotypistin verdienen. Seine erste Ausstellung brachte 1949 nur einen deftigen Verriss, ein Bild wurde während der Schau zerstört, nur ein einziges für 84 Dollar verkauft – an einen Freund der Familie. Über Newmans nächste Ausstellung abstrakter Malerei herrschte auch in der Presse Verwirrung. Seine Werke hielt man für gute Stellwände, auf denen sich ›echte Bilder‹ gut machen würden. Der Künstler war beleidigt und stellte fünf Jahre überhaupt nicht aus. Doch er gab nicht auf und schließlich begann sein Aufstieg zum gefeierten Maler. Auch Robert Rauschenberg hatte noch in den 1950er Jahren Probleme, seine Miete zu bezahlen. Einmal bot er seinem Vermieter an, eine Schuld von 15 Dollar mit Bildern zu begleichen. Der Vermieter lehnte ab – und bereute die Entscheidung sein Leben lang. An dieser Stelle sei der Hinweis an die Immobilienbesitzer unter Ihnen gestattet: Machen Sie diesen Fehler nicht, falls Sie Räume an Künstler vermietet haben – es sei denn, man bietet Ihnen fußballfeldgroße Installationen an.

Doch bis es möglicherweise eines Tages den Lohn für all die Mühe gibt, sorgt der Neid auf den aus unerfindlichen Gründen erfolgreicheren Kollegen für Verbitterung – auch das gehört zum Berufsrisiko. Tatsächlich kann sich nur ein Bruchteil aller Kunsthochschulabsolventen später als Künstler etablieren. Noch kleiner ist der Anteil jener, die zu echtem Wohlstand kommen. Wer Glück hat, ergattert gar eine Kunsthochschul-Professur. Mit gesichertem Gehalt im Hintergrund kann man in Ruhe seinen Geschäften nachgehen und gleicht dem Bergsteiger, der aus Einsicht in seine begrenzten Fähigkeiten den Aufstieg zum Gipfel scheut und sich dauerhaft im Basislager II eingerichtet hat. Doch auch erfolgreiche Künstler wissen eine Professur mit lebenslangem Pensionsanspruch zu schätzen. Hoffnungsvolle Blicke junger Kunststudentinnen oder Studienbewerber ruhen auf dem Professor. Für manchen fällt eine mindestens zwanzig Jahre jüngere Ehefrau ab, mancher züchtet sich eine Gefolgschaft konformer Jungkünstler heran, die Stil und Habitus des Meisters sklavisch nachahmen.

Wer Pech hat, wurstelt sich mit zwei oder drei Jobs durch und kündigt eines Tages das Atelier, weil weder Zeit für Familie, Freunde noch die Kunst bleibt. Wenn es nicht gar zu Depressionen kommt, weil man das Gefühl hat, kein richtiger Künstler mehr zu sein, sondern nur noch ein Sonntagsmaler. Selbst die Glücklichen, die zu der oft zitierten Erbengeneration gehören, werden bei jeder Gelegenheit betonen, wie schwer sie es haben. So kokettiert auch die Erbengeneration mit dem Scheitern als Lebensstil. Tatsächlich haben nur sie optimale Voraussetzungen: Sie können ein großes Atelier in guter Lage anmieten, riesige Kunstwerke in teuren Materialien anfertigen oder anfertigen lassen, prächtige Kataloge drucken und sich frei vom lästigen Broterwerb allein der künstlerischen Arbeit widmen. Doch wer will schon als glücklicher Erbe gelten? Die Fallhöhe ist größer und eine Erfolgsgarantie sind selbst optimale Startbedingungen nicht. Den richtigen Instinkt für den Aufbau eines effizienten Netzwerks kann man nicht kaufen. Talent, Geld und freundliches Getue reichen in der Branche bei Weitem nicht aus.

KELLNERN ODER TAXIFAHREN?

Das monatliche Durchschnittseinkommen deutscher Künstler, darunter auch Schriftsteller, Tänzer und Schauspieler, liegt bei 900 Euro. Nur 4 Prozent von ihnen können, neuesten Studien zufolge, von der Kunst allein leben. Viele profitieren vom Gehalt des Partners, doch die meisten haben zeitraubende und schlecht bezahlte Nebenjobs. Sie kellnern oder fahren Taxi, manche gestalten Kinderzimmer oder arbeiten als Betreuer auf einem Abenteuerspielplatz – der Fantasie sind keine Grenzen gesetzt. Einige versuchen, in kunstnahen Bereichen unterzukommen und interpretieren das dann als ›künstlerische Arbeit‹. Der Hang zur Selbsttäuschung ist auch hier weit verbreitet. Manche Künstler erhoffen sich Erfolg mit Aufbaustudiengängen wie ›Kunst im Kontext‹, wo sie im Eilverfahren Selbstvermarktung und Kulturmanagement erlernen oder satteln auf Kunsttherapie um. Im Hintergrund droht die Altersgrenze von 35 Jahren. Bis dahin sollte man es geschafft haben, denn viele Preise, Fördermaßnahmen und Stipendien richten sich nach dieser Altersbeschränkung. Künstler der älteren Generation stehen richtig auf dem Schlauch, wenn sie erfolglos geblieben sind. Für andere Jobs sind sie kaum noch vermittelbar, weil man mit der Zeit etwas exzentrisch und wunderlich wird. Manche von ihnen sitzen dann eines Tages auf der Parkbank und sprechen mit sich selbst – auch ohne Headset.

Inzwischen hat sich in der Tourismus- und Immobilienbranche herumgesprochen, dass Künstler billig zu haben sind. Nicht nur als Zwischenmieter für leerstehende Ladenzeilen, sondern auch als Pausenclowns: Beim Holzbildhauer-Symposium am Schweizer Brienzer See bekommen die zugelassenen Bewerber je einen Baumstamm zugeteilt – das war's dann auch schon. Anreise, Unterkunft, Verpflegung und Versicherung gehen zu Lasten der Künstler, die ihr Werkzeug selbst mitbringen müssen. Von 7.00 bis 20.00 Uhr darf publikumswirksam gearbeitet werden und die fertigen Kunstwerke bleiben im Besitz des Veranstalters. Künstlerausbeutung pur. Ein anderes Beispiel: Eine Wohnungsbaugesellschaft im brandenburgischen Lübbenau bietet Künstlern großzügig an, sie könnten einzelne Zimmer eines neuen Hotels gestalten. Honorar gibt es keines, aber die Garantie, dass die Werke mindestens zwei Jahre erhalten bleiben – bis zur nächsten Renovierung. Günstiger geht's wirklich nicht mehr.

A STAR IS BORN

Was ist es, das Jeff Koons oder Damien Hirst von ihren unzähligen, namenlos gebliebenen Kollegen unterscheidet? Ist es wirklich überragendes Talent, das sich – wie die weit verbreitete Mär glauben macht – am Ende immer naturgesetzartig durchsetzt? Oder ist Talent – wie im Musikgeschäft – ohne den richtigen Produzenten und den richtigen Vertrieb nutzlos? Die wichtigsten Meinungsmacher im Kunstbusiness befinden sich, bildlich ausgedrückt, in einer Art Dauerkonferenz über neue Trends und Namen des Kunstbetriebs. Sie entscheiden, unter ständiger gegenseitiger Beobachtung und Nachahmung und in wechselhaften Koalitionen, welche Künstler ans Firmament der Kunstwelt aufsteigen. Trends werden bewusst lanciert, dabei wird das Tempo saisonal oder regional reguliert. Die zuletzt boomende Malerei wird allmählich in den Hintergrund geschoben, denn es geht darum, die Wertentwicklung der etablierten und rentablen Künstler nicht durch eine Übersättigung zu gefährden. Wertstabile Klassiker schafft man nicht, indem man mit zu vielen Markenablegern Verwirrung stiftet. Trotzdem gibt es nach ein paar Jahren den üblichen Ausschuss. Dann aber sind die großen Geschäfte längst gemacht. Durch ihr Insiderwissen und die trendsetzende Machtposition können die Entscheider des Kunstbetriebs brillante Prognosen über die Wertentwicklung von Kunstwerken abgeben. Prophezeiungen, die sich selbst erfüllen. Das informelle Netzwerk der Kunstbetriebsnudeln befindet sich in ständiger Bewegung, Urteile und Bewertungen entstehen auf der Basis von Gerüchten, diskreten Absprachen und persönlichen Beziehungen. Praktisch jede künstlerische Position kann zur Investitionsgrundlage gemacht werden. Selbst Kunst, die die Marktmechanismen kritisch behandelt, ist dazu geeignet, weil sie überdeckt, dass Kunst in erster Linie ein Geschäft ist. Das ist die Lehre aus Pop und Rock. Der Parodierocker Frank Zappa brachte es seinerzeit auf die Formel: »We are only in it for the money«.

■ Ein Fall für den Kammerjäger? Sammler Charles Saatchi zahlte 150.000 Pfund für die dekorative Unordnung von Tracey Emins Turner Prize Installation *My Bed* von 1999

Im Kunstbetrieb gibt es viele Möglichkeiten, vergeblich um Einlass zu bitten oder blamabel aufzulaufen: Der unbekannte Künstler spürt es, wenn er mit der Mappe unter dem Arm in den Galerien Klinken putzt; der Kaufinteressent, wenn er beim Händler weit hinten auf die Warteliste für einen begehrten Künstler gesetzt wird; der Kritiker, wenn seine Texte nirgends gedruckt werden; der Galerist, wenn er nicht zur Kunstmesse zugelassen wird, und das Provinzmuseum, wenn es vergeblich um Leihgaben für seine Sonderausstellung bettelt. All das sind Beispiele für das ewige Spiel vom Draußenbleiben oder Mitmachendürfen. Der Kunstbetrieb funktioniert wie ein angesagter Club mit unberechenbaren Türstehern, wechselhaften Gästelisten und geheimnisvollen VIP-Lounges. Natürlich können die Meinungsführer des Kunstbetriebs nicht im luftleeren Raum agieren. Ein Künstler, den sie zum Star machen, muss schon mit Werken in Sammlungen präsent, in Insiderkreisen bekannt sein und kurz vor dem Durchbruch stehen. Dann bilden sich temporäre Koalitionen von Großsammlern, Spitzengaleristen und Museumsdirektoren, die alle auf ihre Weise vom Aufstieg eines neuen Stars profitieren. Nun werden Werke auf Auktionen angeboten, Museumsausstellungen und Biennaleteilnahmen winken, ein warmer Regen von Auszeichnungen und Preisen setzt ein. Die Berichterstattung der Medien spiegelt den Vorgang und verstärkt ihn noch. Parallel zur Preissteigerung der Werke wächst die Bekanntheit des Künstlers. Irgendwann tauchen die ersten Homestorys und Hintergrundberichte sogar in der *Brigitte*, im *Stern* oder gar der *Superillu* auf und tragen den Namen des Künstlers in die Wartezimmer der abgelegensten Arztpraxen.

DIE TRENDMASCHINE

Der Verstärkereffekt ist ein entscheidendes Prinzip des derzeitigen Kunstbetriebs. Weil selbst Insider kaum noch den Überblick über Künstler, Galerien und Ausstellungen weltweit haben, klammert man sich an Namen, die man schon mal gehört hat. Je öfter man sie hört, desto berühmter und besser erscheinen die Künstler, die ja offensichtlich überall geschätzt werden. So entsteht Kunstmarkt-Kunst: Mittelmäßige Werke werden bei Auktionen überteuert gehandelt und Galeristen verkaufen gierigen Sammlern ungemalte Bilder. Die gefragten Künstler arbeiten unter Produktionsdruck mehr oder weniger lustvoll Bestelllisten ab. Wobei verständlich ist, dass man sich bei einem Werk, das schon verkauft ist – vielleicht an irgendeinen anonymen Kunstfonds –, nicht unnötig quält oder den Terminplan gefährdet. Entwürfe, die früher im Müll gelandet wären, werden nun als gelungene Werke auf den Markt gebracht, denn jede verworfene Idee vernichtet schließlich sichere Einnahmen. Gängige Praxis der Künstler ist es, zusätzlich noch Accessoires und Requisiten ihrer Performances oder Filme unter die Leute zu bringen.

Sind die jeweiligen Moden vorbei, sinken die Preise der Trendkünstler empfindlich. Zwar verhungert deshalb niemand, aber die Nachfrage in den Galerien stagniert. Die Werke verkaufen sich auf Auktionen nicht mehr und Museen lassen sie still und heimlich in ihren Depots verschwinden. Diese Künstler fristen nun die etwas traurige Existenz von Gestalten, über die man bei Vernissagen hinter vorgehaltener Hand flüstert: »Ja, der war mal berühmt.« Julian Schnabel ist einer dieser verglühten Kometen. Mit seinen riesigen Gemälden, die er zum Beispiel mit Geschirr beklebt hatte, war er neben Jeff Koons der Kunstmarktstar der 1980er Jahre. Dann ging es steil bergab. Museen distanzierten sich, Sammler warfen seine Werke als Ballast ab und Kritiker bliesen zur Hetzjagd. Immerhin hatte Schnabel bis dahin so viel verdient, dass er sich noch heute ein großes Atelier leisten kann. Schön ist es auch, wenn man dazu noch Freunde hat, für die sich die Boulevardpresse interessiert: Händchenhaltend mit der Skandalnudel Tracey Emin war selbst Schnabel kürzlich wieder eine Schlagzeile wert.

Für manch einen, der nicht so viel Glück im Unglück hat, beginnt allerdings wieder die Ochsentour der Bewerbungen. Lehraufträge an der Volkshochschule oder Arbeitsstipendien mit Anwesenheitspflicht im Künstlerhaus Posemuckel sind dann immer noch das

kleinere Übel – verglichen mit Hartz IV. Jetzt nur nicht den Kopf hängen lassen, denn die Ausstrahlung ist entscheidend, wie der Unternehmensberater Peter Brandt Künstlern rät: In der Öffentlichkeit komme es auf Körpersprache und Mimik an, der Inhalt – die Kunst – sei sekundär. Gegenüber seinen Gesprächspartnern müsse der Künstler Begeisterung über das eigene Tun ausstrahlen und für den Auftritt bei der Vernissage gibt der Coach den Künstlern folgende Tipps: »Schräge Kopfhaltung wirkt negativ, in Zusammenhang mit einem Lächeln sogar unterwürfig. Hängende Arme wirken leblos, Hände in den Taschen zu respektlos. Und so steht man richtig: Hände zwischen Gürtelschnalle und Brust halten und Gewicht auf beide Beine verteilen!« Viel Erfolg!

KAPITEL 3

VOLLKONTAKT MIT DEM KUNSTMOB. ODER: WIE ÜBERLEBE ICH DEN AUSSTELLUNGSBESUCH?

Alkoholmissbrauch im Dienst der Kunst: Einmal füllte der junge Sigmar Polke seine Kollegen kurz vor einer Vernissage satt mit Alkohol ab. Anschließend filmte er gnadenlos die kollabierenden und kotzenden Freunde. Er wollte zeigen, wie unterschiedlich Menschen sich übergeben, die vom gleichen Korn getrunken haben. Das Trinken und die Vernissage! Wer das erste Mal ausstellt, kann das Lampenfieber oft nur durch Alkohol bekämpfen. Das harmonische Maß wird dabei schon mal überschritten, was durchaus auch Routiniers passieren kann. Der manchmal zu Vulgaritäten und Pöbeleien neigende Martin Kippenberger vergraulte das elitäre Vernissagepublikum regelmäßig mit seinen schlüpfrigen Witzen.

Namenlose Gäste, die alkoholisiert oder auch naturhigh zu lautstarken Ausfällen neigen, werden meist ohne große Umstände an die frische Luft befördert. Prominente Schnapsdrosseln hingegen stellt man vorübergehend ruhig, indem man ihnen erst noch mehr zum Trinken anbietet, um sie anschließend zum Ausheulen in eine hintere Ecke der Galerie zu manövrieren. Der Atmosphäre einer Vernissage ist es aber in der Regel zuträglich, wenn Künstler, Galeristen und Publikum lieber etwas tiefer ins Glas schauen, statt allzu streng die Werke zu begutachten. Die belanglose Plauderei ist elementarer Bestandteil der Veranstaltung und bestätigt die Solidarität mit der zur Taufe gebrachten Kunst. Viel mehr verbindet die bunte Gesellschaft der Vernissagegäste auch gar nicht, zu stark sind die sozialen Unterschiede zwischen wohlhabenden Geschäftsleuten, armen Künstlern und Kunststudenten, ahnungslosen Verwandten und professionellen Schnorrern. In jedem Fall werden theorielastige Auseinandersetzungen oder gar ätzende Kritik von den meisten Anwesenden als fehl am Platz empfunden. Zum guten Ton gehört es dagegen, dem Künstler zur Ausstellung zu gratulieren, selbst wenn man die Schau als Frechheit empfindet und sich über die vergeudete Zeit ärgert. Ein ehrliches Urteil käme einer Ohrfeige gleich. Kein Wunder, dass eine Ausstel-

HEINRICH DUDENSACKS ARBEITEN SIND IN GANZ ERSTAUNLICHEN AUSMASS VON ANDEREN MALERN VORWEGGENOMMEN.
RATTELSCHNECK

lungseröffnung auf viele so abschreckend wirkt wie ein verlängertes Wochenende bei den Schwiegereltern.

DAS KUNSTPUBLIKUM – KOKSCOOL UND HILFLOS

Das Publikum steht mit dem Rücken zur Kunst und schaut möglichst schlau drein. Allenfalls beiläufig schweifen die Blicke über die Werke, sie suchen zielsicher den bereitgestellten Wein und das Finger Food. Der individualistische Dresscode wirkt in seiner zwanghaften Vielfalt uniform. Es ist alles dabei: vom Architektenlook mit schwarzer Wolle von oben bis unten inklusive Glatze und eckiger Brille, über den bei Künstlern seit langem beliebten Look mit Second-Hand-Anzug, weißen Turnschuhen und Struwwelpeter-Frisur bis hin zur Freizeitkleidung mit urbanen Akzenten wie Pullunder in Argylemuster oder Barbourjacken. ›Cross dressing‹ geht immer: edel und schlampig im Mix. DDR-Trainingsjacke und Prada, Escada Sport und H&M, Irokesenschnitt und Nadelstreifensakko mindestens von Boss. Männer sollten Fliegen aus Furnierholz, Krawatten mit Sternzeichenmotiven oder Baskenmützen vermeiden, Frauen kommen besser nicht in Outfits, die den Verdacht aufkommen lassen, es gehe später noch zu einer Halloweenparty. Aufstrebende Künstler sollten zwecks Wiedererkennung immer das gleiche tragen: »Aha, der Mann mit der Trainingsjacke!« Oder stets in schmutzigen Arbeitsklamotten auftreten: »Ein Arbeitstier!« – »Der Wahnsinnige!« Vor dandyhafter Eleganz ist zu warnen, das muss gekonnt sein! Abschreckendes Beispiel ist hier Georg Baselitz, der mit himbeerrotem Anzug bisweilen den Charme eines neureichen Gebrauchtwagenhändlers versprüht. Schlimm treibt es auch manch anderer Malerkollege seiner Generation, wo Spitzbart, Ludenklunker oder Gehstöcke mit Silberknauf en vogue sind.

Und was spielt sich in den Köpfen der oft so selbstbewusst wirkenden Vernissagengäste ab? Oft ist es schlicht panische Angst, etwas Falsches zu sagen, zu tragen oder zu tun. Immer wieder verleiht dieser Umstand Kunstereignissen etwas Gespenstisches. »Ich saß vor einem Publikum, von dem ich den Eindruck hatte, man könne mit einem Hammer drauf hauen, ohne dass sich auch nur irgendetwas bewegen würde. Man gratulierte mir im Anschluss, ich sei der Einzige gewesen, bei dem die Leute nicht wortlos weggegangen wären. Das gusseiserne Dastehen war die höchstmögliche Form des Zuspruchs gewesen«, kommentierte der Autor Peter Glaser einen Kunstevent in Berlin. Die kokainkühle Arroganz im Gesicht, die angstbesetzte Coolness und Apathie des intellektuellen Kunstpublikums strahlen wahrlich keine Freude aus. Muss man da wirklich dabei sein?

Auch viele Künstler sind verzweifelt über diese Reaktionsarmut. Manche Aktionskünstler versuchen durch Provokationen bis hin zur körperlichen Nötigung dem obercoolen Publikum wenigstens irgendeine Reaktion zu entlocken, oft genug vergeblich. So zum Beispiel in einem Kunstklub in Prenzlauer Berg in Berlin: Bei einer Performance drehten die nackt auf der Bühne agierenden Künstler nach einigen nervigen Klangexperimenten völlig durch: Sie spuckten Besuchern ins Gesicht, umarmten einige und rieben ihre farbbeschmierten Körper an ihnen. Einem Gast, der gerade telefonierte, entwand ein Künstler das Mobiltelefon und führte es sich in den After ein. Nach der Performance gingen die Gäste wortlos und in gedrückter Stimmung auseinander, als seien sie Zeugen eines Verbrechens geworden, ohne es verhindern zu können. Gelegentlich hat man allerdings den Eindruck, dass manche Kunstfreunde die harte Tour durchaus schätzen. Die Künstlerin Teresa Margolles erfreut sich gerade durch ihre an Ekelmaximierung orientierten Aktionen besonderer Aufmerksamkeit, indem sie beispielsweise Wasser aus Leichenwaschungen per Luftbefeuchter im Ausstellungsraum verteilt oder mit diesem

Waschwasser Seifenblasen erzeugt, die auf der Haut des Besuchers zerplatzen. Irgendwie wird man den Verdacht nicht los, dass Künstler wie Margolles ihr Publikum hassen. Trotzdem finden sich immer noch genug Masochisten, die dafür gern Eintrittsgeld bezahlen. Wohl bekomm's.

HÖLLE VERNISSAGE

Ausstellungseröffnungen und Messen als Marktplatz für Kontakte, Preisgestaltung und Projekte: Künstler, Händler, Sammler, Kritiker und Neugierige treffen hier aufeinander. In der Kreisklasse des Kunstbetriebs kann es vorkommen, dass in der ersten Viertelstunde kein einziger Besucher erscheint – Künstler und Galerist leiden dann gleichermaßen. Dem deprimierenden Auftakt folgt allzu oft ein zäher Abend mit einer Handvoll Gästen und Schalen voller Chips und Flips. In der Champions League der Kunstwelt, etwa beim Galeristen Jay Jopling im White Cube am Londoner Hoxton Square, können Vernissagen dagegen auch schon mal zu Events mit 30.000 Gästen mutieren.

Selbstvermarktungsexperten empfehlen unbekannten Talenten, auf die Vernissagen jener Galerien zu gehen, in denen man selbst gerne ausstellen möchte, und zwar so oft, bis man dort wiedererkannt wird. Der nächste Schritt sei dann, sich bei den Künstlern der Galerie einzuschleimen, damit sie den Interessenten selbst für eine Ausstellung vorschlagen. Doch schon ohne dieses konkrete Ziel artet die Vernissage schnell zum Sozialstress aus. Immer wieder spielen sich unbemerkt kleinere Dramen ab. Auch in der Kunstwelt regiert die gnadenlose Ökonomie der Aufmerksamkeit. Neid und schwelende Konkurrenz sind unter Künstlern so selbstverständlich wie Freundschaft und Solidarität. Wer sich gestern Nacht noch bei einem Kollegen ausgeheult hat, tut vielleicht heute auf einer Ausstellungseröffnung so, als würde er den guten Freund nicht erkennen, weil er selbst gerade die Aufmerksamkeit eines aufsteigenden Kurators genießt und diese keinesfalls teilen möchte. Unruhig schweifen die Blicke der hungrigen Künstler und Händler im Raum umher, auf der Suche nach einem Gesprächspartner, der nützlicher sein könnte als der, mit dem man gerade Belanglosigkeiten austauscht. Die Vernissage ist keine Kuschelparty, sondern ein beinhartes Buhlen um Beachtung in einer scheinbar offenen, aber doch streng hierarchisierten Kunstwelt. Trotz des quirlig sinnfreien und fröhlichen Blablas, trotz der vielen Kontaktmöglichkeiten ist die Vernissage manchmal auch ein höllischer Ort.

Immer wieder macht die prekäre Künstlerexistenz aus liebenswerten Zeitgenossen kleine Monster. Eine Künstlerin beschwert sich bei einer Vernissage hinter vorgehaltener Hand, dass eine befreundete (!) Kollegin keinen BH trägt und »jedem Kerl ihre Titten ranpresst, um gut anzukommen, wenn es schon ihre Kunst allein nicht bringt«. Einem erfolgreichen Kollegen wird unterstellt, er sei allein deshalb gut im Geschäft, weil er die Tochter eines berühmten Kurators bumse. In einer kleinen Nachwuchsgalerie stellt eine Künstlerin Objekte vor, die schuhkartongroße Nachbildungen von namhaften Galerien darstellen. Sofort gibt es geflüsterte Kommentare, dass man sich eigentlich nur nackt dem Kunstbetrieb noch mehr anbiedern könne. Anlässlich eines Auftritts der Grande Dame der Performance, Marina Abramovic, in den Berliner KunstWerken – sie steht nackt und von gleißendem Licht angestrahlt, auf zwei Vorsprüngen hoch oben an der Wand über dem dicht gedrängten Publikum – beneidet eine Künstlerin in den besten Jahren Marinas Brüste: »Die hat sie sich mit Sicherheit machen lassen.« Nicht immer stimmt das Vorurteil, dass Banker, die sich treffen, über Kunst plaudern und Künstler über Geld.

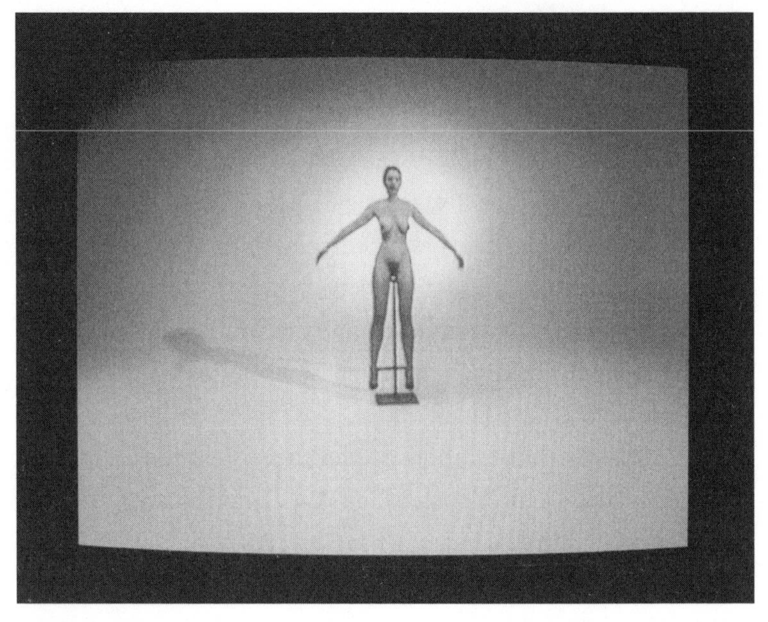

■ Seit bald 40 Jahren im Geschäft. Marina Abramovic quält und zelebriert ihren Körper. 1997er-Performance *Spirit House - Luminosity*

PROLLIGE VIPS

›Der Künstler ist anwesend‹ steht manchmal werbewirksam auf der Einladungskarte. Für die wirklich wichtigen Leute des Kunstbetriebs gilt das nur eingeschränkt. Viele Sammler und Kritiker meiden die Vernissage sogar, weil es ihnen zu voll, zu laut und zu indiskret ist. Manche renommierten Galerien verzichten ganz auf eine öffentliche Vernissage mit dem aufgemotzten Mitläuferpublikum und laden nur ausgewählte Gäste ein. Oder es findet am Vorabend eine Preview für die VIPs und die direkt Beteiligten statt. Vor der Eröffnung der New Yorker *Armory Show* bezahlen distinguierte Messebesucher regelmäßig mehr als 1.000 Dollar Eintritt, um die Werke ein paar Stunden früher als die normalen Gäste zu Gesicht zu bekommen. Wer Insider statt Flaneur sein will, muss bei den Previews dabei sein oder wenigstens bei der Eröffnung eine Einladung zur Nachfeier in einer Bar oder einem Restaurant zugesteckt bekommen. Allerdings sollte man sich beim Ausstellungsbesuch Szenen sparen, wie sie sich beispielsweise 2005 vor der Berlinischen Galerie abspielten: Die Drohung eines abgewiesenen Anzugträgers »Ein Anruf von mir, und Sie sind Ihren Job sofort los!«, parierte der Türsteher mit »Du, ich bin auch cool!« Schließlich musste die Polizei ordnend eingreifen. Ähnlich deprimierend ging es bei der Performance von 100 nackten Frauen in der Neuen Berliner Nationalgalerie zu, die von Vanessa Beecroft inszeniert worden war. Der Voyeurismus trieb bizarre Blüten. Besucher prügelten sich fast um die Tickets, Damen und Herren in schicker Abendgarderobe verwandelten sich in Rotzlümmel und pöbelnde Marktweiber. Also: Wenn kein würdiger Zugang möglich ist und Sie dennoch unbedingt dabei sein müssen, gehen Sie zur ›öffentlichen Eröffnung‹, bei der die Kunstwerke mitunter hinter den Menschenmassen verschwinden, die aber die gesellschaftliche Bedeutung und Beliebtheit der ausgestellten Kunst anzeigt. Außerdem sparen Sie das Eintrittsgeld!

Ausstellungseröffnungen sind ideale Gelegenheiten für Klatsch und Tratsch, ohne die der Kunstbetrieb nicht auskommt. Gerüchte können erheblich zum Wertsteigerungsprozess bei Kunstwerken beitragen, können aber ebenso Künstlerkarrieren bremsen. Messebesucher raunen sich im Gedränge Namen vielversprechender Kojen und Künstler zu, über Kaufsummen und Interessenten wird ebenso gerne spekuliert wie über das Privatleben von Künstlern und Galeristen. Der Hauptgrund für die Beliebtheit von Gerüchten liegt in der Größe und Unübersichtlichkeit des Kunstbetriebs. Wurden in früheren Jahrzehnten und Jahrhunderten Ausstellungen von strengen, oftmals altbacken-autoritären Jurys reglementiert, führen die Offenheit und beliebige Vielfalt auf heutigen Messen und Museumsausstellungen selbst beim Fachpublikum zu Orientierungslosigkeit.

Dankbar greift man Gerüchte auf, um sie mit bedeutsam gesenkter Stimme und verschwörerischer Miene weiterzutratschen. So hören sich Insider gerne reden.

›ALL YOU CAN DRINK‹ – TIPPS FÜR PENNER

Eine echte Bereicherung für den Kunstbetrieb sind bisweilen professionelle Schnorrer wie das Berliner Original Peter Müller, der im Gegensatz zu den geladenen Gästen nie vergisst, sich nach der Einnahme von Speis und Trank die Kunstwerke anzuschauen. Schon deshalb wurde er von manchem Galeristen dankbar mit Handschlag begrüßt. Müller brachte es schließlich sogar auf der Bühne zu einer gewissen

Bekanntheit, als er vom Theatermann Christoph Schlingensief entdeckt wurde und dessen Ensemble verstärken konnte. Tatsächlich ist der Galeriebesuch nicht die schlechteste Art, den Abend im Warmen und mit einem Weinglas in der Hand zu verbringen. Ambitionierte Schnorrer gehen noch einen Schritt weiter. Als der Galerist Hans-Jürgen Müller einmal von einer Parisreise zurückkehrte, stellte sich heraus, dass ein älterer Penner seine Wohnung seit Tagen belegt hatte. Gegenüber der unwissenden Schwiegermutter des Galeristen hatte der Obdachlose glaubwürdig behauptet, ein befreundeter Maler zu sein. Als der fassungslose Gastgeber schließlich vor ihm stand, packte der vermeintliche Künstler seine Siebensachen, grüßte artig mit ›Vergelt's Gott‹ und ging.

■ Steht mittlerweile bei der Luxusmarke Louis Vuitton unter Vertrag – Vanessa Beecrofts nackte Kunst; hier die Performance *VB50*, 2002, in São Paulo. Die *Gala* bewertet den Prickelfaktor mit 3 (von 5)

■ Wenn er kam, waren die Plätze in der ersten Reihe immer schnell belegt – Yves Klein, *Anthropométries de l'Epoque Bleue*, 1960

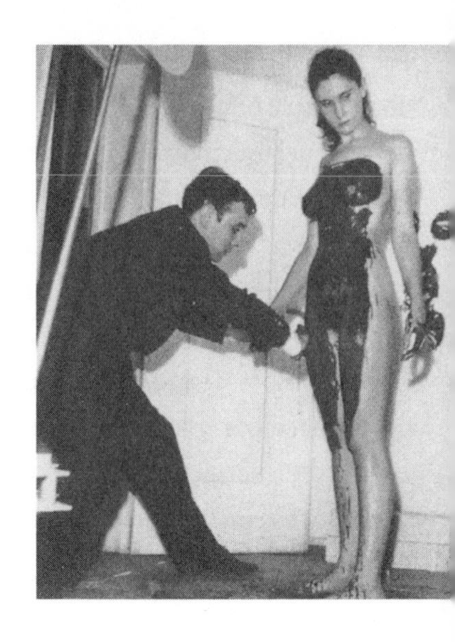

Man muss sich nicht gerade ein paar Tage einnisten, aber es ist ein Leichtes, den Vernissagenkalender durchzusehen und sich systematisch von einer Galerie zur anderen Galerie zu begeben. Meistens fallen dabei das ein oder andere Glas Wein, belegte Brötchen oder geschnorrte Zigaretten ab. Hilfreich ist natürlich passende Kleidung, um sich eine adäquate Aura zu verleihen: schwarzer Anzug aus dem Second-Hand-Laden, Glatze schneiden oder Peter-Handke-Frisur wachsen lassen. Nicht zu oft waschen! Als Accessoire wahlweise die intellektuelle Nickelbrille oder eine großflächig verglaste Sonnenbrille vom Flohmarkt verwenden. Und immer schön blasiert dreinschauen! Nicht zusammenzucken, falls Sie dennoch angesprochen werden, erzählen Sie einfach von sich als Performancekünstler, der ›in situ‹ lebt und arbeitet. Eigentlich ein Wunder, dass nicht schon mehr Obdachlose auf die Idee gekommen sind – oder sind die Mehrzahl der Vernissagengäste etwa schon längst perfekt verkleidete urbane Penner?

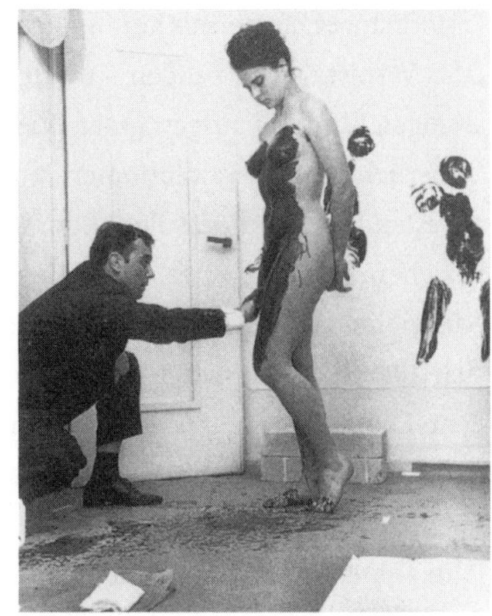

WIE ÜBERLEBE ICH EINE PERFORMANCE?

Manche Künstler nutzen Vernissagen für Bürgerschreck-Auftritte und spektakelhafte Performances. In den 1960er Jahren wirkten Aktionen von Yves Klein bahnbrechend, der in seinen berühmten *Anthropometrien* farbgetränkte nackte Frauen als Pinsel benutzte, die nach seinen Anweisungen Leinwände einfärbten, damals eine mittlere Sensation. Eine Performance wird auf Ausstellungseröffnungen gerne gesehen – im Gegensatz zu den gefürchteten Reden von Kunsthistorikern, Sponsorenvertretern und Kommunalpolitikern. Vernissagen ziehen immer wieder schräge Vögel an – mehr oder weniger liebenswerte Profilneurotiker und Möchtegernkünstler. So hat es sich das glatzköpfige und stets im Zwillingslook gekleidete Künstlerpärchen Eva und Adele seit Jahren zur Aufgabe gemacht, bestimmte Ausstellungen durch sein Erscheinen zu adeln. Durch ihr Äußeres verbreiten die beiden Kunstweltmaskottchen das liebenswert staubige Flair tschechischer Kinderfilme.

Performances können als kurzweilige Dreingabe zu einer Ausstellung oder Vernissage stattfinden – in diesem Fall hat man die Sache in wenigen Minuten ausgestanden. Viele Performances jedoch wirken lächerlich oder überambitioniert, und nicht wenige zehren von der abgestandenen Idee, das Publikum in irgendeiner Weise mit einzubeziehen. Dann heißt es, gute Miene zum bösen Spiel zu machen oder sich notfalls in der Toilette einzuschließen. Vorher sollte man sich allerdings erkundigt haben, wie lange die Darbietung dauert, denn Extremisten schrecken auch vor mehrstündigen Vorstellungen nicht zurück. 72 Stunden dauert das *Orgien-Mysterien-Theater* des Österreichers Hermann Nitsch, ein Schlachtfest mit Musik, das er seit Jahrzehnten zelebriert. Hatte der Künstler in jungen Jahren kein Problem damit, stundenlang Rinder auszuweiden, Rotwein zu kippen und sich in Tierblut zu wälzen, legt er heute zwischendurch schon mal ein kleines Nickerchen ein, um frisch gestärkt seine Schweinereien fortzusetzen.

SHOPPINGFIEBER AUF DER MESSE

Die Welt der Kunst wird immer unübersichtlicher. Selbst Kunstkenner verlieren im Terminkalender, der pro Jahr mittlerweile mehrere Dutzend Kunstmessen verzeichnet, schnell die Orientierung. Ein denkwürdiger Irrtum unterlief dem Nachwuchsgaleristen Johann König, als er sich auf dem Weg zur *Stockholm Art Fair* plötzlich auf einer Messe für Kirchenbedarf wiederfand. Ähnlich irritiert dürften viele Kunstlaien dreinschauen, die sich von Freunden zu einem erstmaligen Besuch einer Kunstmesse überreden lassen. In Erwartung zugeknöpfter Innerlichkeit und vergrübelter Kunstkenner wirken die schampusselige Aufgekratztheit und die tumulthaften Rangeleien in und zwischen den Kojen besonders befremdlich. Bisweilen entwickelt sich eine Atmosphäre, die an das exaltierte Gebaren in hippen

Boutiquen erinnert. Spitze Schreie der Verzückung, Ausrufe wie »Oh my God it's amazing!«, »Wahnsinn!« oder »Er ist echt süß!«, wenn der schüchterne Maler Neo Rauch irgendwo herumsteht, sind keine Seltenheit. Kein Wunder, dass manche den Eindruck gewinnen, sich ebenso gut auf einer Boots-, Champagner- oder Schmuckmesse zu befinden.

Auf der Londoner *Frieze Art Fair* werden zwischen vornehmen Sammlern und punkigen Kunststudenten auch immer wieder Stars wie Kate Moss, Claudia Schiffer, Gwyneth Paltrow, Jude Law und George Michael gesichtet und von den Fotografen umschwärmt. Was sie kaufen, steht morgen schon in der Zeitung – und steigt im Preis. Promis und Künstleraktionen verleihen der Messe im Regent's Park gehobenen Jahrmarktscharakter. So ließen sich die Gebrüder Chapman 2006 in einer düsteren Kammer ausstellen, in der sie für 4.000 Pfund Messebesucher porträtierten – als Nobelvariante des Karikaturenzeichners, der sonst in Fußgängerzonen anzutreffen ist. Die Brüder wirkten in ihrer zerschlissenen Arbeitskleidung selbst wie das lebende Bild einer romantischen Dachkammer-Boheme.

Für kaufwillige, aber völlig ahnungslose Besucher stellt die *Frieze* Shoppingbegleiter bereit, die die Kunden an die Hand nehmen. Für die Madrider Messe *Arco* bekommen sogar die Kinder schulfrei. Bei dieser volksfestartigen Regionalmesse mischt sich selbst der spanische König ins Getümmel. Wenn die *Art Basel* ihren seit 2002 alljährlich stattfindenden publicityträchtigen Gastauftritt in Miami durchführt, ist der lokale Flughafen regelmäßig von der Masse anfliegender Privatjets überfordert. Die Präsentation von knapp 200 Galerien ist immer in ein großes Partyprogramm eingebettet: Performances am Strand und Cocktails am Pool, Empfänge in den Museen und VIP-Führungen durch die Privatsammlungen lokaler Größen. Eine neue Klientel von Kunstfreunden taucht hier auf: Sie sucht das hektische Klima des Auktions- und Messerummels, das Blitzlichtgewitter, die Nähe zu den Stars. Die steife Atmosphäre einer Galerie und eines Museums hingegen sagt ihnen nicht zu. Manche Messen verbreiten offenbar die richtige Wohlfühlmischung aus Party, Promi-Voyeurismus und Kunstbetrachtung, die Unterhaltung über Kunst fällt hier – sofern man überhaupt dazu kommt – leichter.

Auf den schnelllebigen Messen ist fast nur noch spektakuläre und dekorative Kunst zu sehen. Anspruchsvollere Arbeiten haben hier allenfalls in den Dokumentationsordnern der Galeristen ihren Platz. Thematische Schwerpunkte oder die Präsentation eines einzigen Künstlers findet man in den Messekojen ebenfalls selten. Weil die Standgebühren und Transportkosten sehr hoch sind, sich ein Gastspiel für die Galeristen also lohnen muss, gibt es überwiegend marktgängige, trendgerechte Kunst zu sehen. Flachware triumphiert: Überall werden je ein paar Gemälde, Papierarbeiten und wahlweise ein Monitor für Filme oder kleinere Objekte feilgeboten. Um alle Käuferschichten anzusprechen, bieten die Galerien für jeden Geschmack und Geldbeutel etwas an, was dazu führt, dass die Kojen wie einförmige Gemischtwarenläden aussehen.

AUF DEM GALERISTENSTRICH

Die Galeristen stehen zudem unter dem Druck, ihre kostbare Messezeit nicht mit unwichtigen Gesprächspartnern zu vergeuden. Sie müssen blitzschnell taxieren können, ob der Gesprächspartner ein Potentat oder doch nur eine Tratschtüte ist. Im letzteren Fall gilt es, das Gespräch mehr oder weniger höflich zu beenden, besonders wenn im Hintergrund ein Großsammler mit Entourage um die Ecke biegt. Herrlich auch zu sehen, wie die Augen eines Galeristen zu leuchten beginnen, wenn das Telefon klingelt und ein Sammler Bestellungen aufgibt. Dann wird alles Englisch, dessen man mächtig ist, zusammengekratzt, um das Geschäft auf die Zielgerade zu bringen: »Yes, yes,

■ Keine Angst vor der Vernissage: Hier muss niemand mit großen Worten glänzen and ... what else are you collecting?« Die Stirn faltet sich hingegen zur respektablen Plastik, wenn doch wieder nur einer der vielen angespannten Künstler voller Hoffnung anruft, um sich zu informieren, ob wenigstens eines seiner Werke schon einen Interessenten gefunden hat. Denn natürlich entscheidet über kurz oder lang die Verkaufsquote über die Treue des Händlers. Viele erfolglose Künstler können schon froh sein, wenn ihre Arbeiten nach einer Messe unbeschädigt zurückkommen.

Unbekannte Künstler und Galeristengroupies verüben manche Verzweiflungstat, um auf der Messe aufzufallen: So wurde beispielsweise auf dem Berliner *Art Forum* eine stark geschminkte junge Künstlerin von einem Vermittler herumgeführt und den Galeristen vorgestellt. Das mitanzusehen tut fast schon weh. Auf diese Art lässt sich keine seriöse Kunst an den Mann bringen. Man hat noch nie von einem Künstler gehört, der aufgrund eines Vertreterbesuchs oder einer ungefragt zugesandten Bewerbungsmappe Karriere machte – auch wenn Galeristen wie Iwan Wirth tapfer behaupten, jede Zuschrift werde sorgfältig durchgesehen. Auf der *Art Basel Miami Beach* 2006 hockte sich die junge Amerikanerin Jamie Isenstein am Stand ihres Galeristen Andrew Kreps stundenlang in einen Koffer – der allerdings geöffnet war –, damit man vom jammervollen Martyrium der Künstlerin auch etwas mitbekam. Die Künstlerin Jennifer Dalton aus New York verarbeitete die Top-200-Liste der bedeutendsten Sammler, die jährlich im Magazin *Artnews* veröffentlicht wird, zu einem Ensemble von kleinen Spielzeugfiguren, die sich mühelos in einer Vitrine ausstellen lassen. Selbstbewusst erklärt sie, auf diese Weise die mächtigen Sammler selbst zu Sammlungsobjekten gemacht zu haben. Hat hier eine Künstlerin einfach den Spieß umgedreht? Leider wird man den Verdacht nicht los, dass es sich dabei eher um eine klägliche Anbiederung an mögliche Käufer handelt, verpackt in modische Kunstmarktkritik.

An den etablierten Kunstmessen darf längst nicht jede Galerie teilnehmen, selbst wenn sie zahlungskräftig ist und gemeinhin als seriös erachtet wird. Halböffentliche oder geheime Jurys entscheiden, wer mitmachen darf. Oft genug sitzen andere Galeristen im Gremium, die auf diese Weise Konkurrenten fernhalten oder Kooperationspartner ins Boot holen können – eine Angelegenheit, die in anderen Branchen zum handfesten Skandal führen würde. Hier zeigt sich wieder die typische Mischung aus der ehrlichen Bemühung um Qualität, Eifersüchtelei und Filz, die viele Entscheidungsprozesse des Kunstbetriebs prägt. Der Ausweg für die verschmähten Galerien ist die Teilnahme an einer der vielen im Windschatten der großen Messe abgehaltenen Satellitenveranstaltungen. Sei es die *Zoo Art Fair* parallel zur etablierten *Frieze* in London, sei es die *Nada Art Fair* parallel zur *Art Basel Miami Beach* oder (unter anderen) die *Berliner Liste* parallel zum *Art Forum Berlin.* Oft genug sind diese Initiativen Notgemeinschaften, beatmet von der Hoffnung, dass der internationale Kunsttross am Tag nach der großen Messeeröffnung den einen oder anderen Scheck übrig hat und – wenn auch in Katerstimmung – noch schnell vorbeischaut.

VERSTEPPUNG DER GALERIENLANDSCHAFT

Während die Messen übervoll sind, herrscht in den Galerien nach wie vor Publikumsmangel. Das kann zu bizarren Eindrücken führen wie jüngst in der Berliner Dependance des japanischen Galeristen Akira Ikeda. Selbstgenügsam hängen die Werke an den Wänden hallengroßer Räume, während das Kleinkind der Galerieassistentin auf allen Vieren spielend den Boden wienert. Da möchte man ungern stören. Man muss sich oft erst einmal überwinden, die Klingel zu drücken, um einzutreten. Als nächstes gilt es, dem prüfenden Blick standzuhalten, den das stoische Personal dem Besucher über die Lesebrille hinweg zuwirft. Diese Begegnung ist so unangenehm, als würde man ein Murmeltier um den wohlverdienten Winterschlaf bringen. Das Personal muss umständlich den Kreislauf reaktivieren, das Gnade heischende »Hallo«, das man in die weißen Räume singt, wirkt gegen die Totenstille wie das Gebrüll eines paarungseifrigen Primaten. »In kaum einem Laden für hochwertige Luxusgüter wird man so mau behandelt wie in einer Galerie«, gibt der Münchner Kunsthändler Michael Zink zu. Selbst erfahrene Sammler berichten von ihrer Schwellenangst, eine Galerie zu betreten.

Auch konzertierte Aktionen wie Galerienrundgänge, bei denen ganze Busladungen von Touristen, einer Herde Elefanten gleich, durch die Ausstellungsräume getrieben werden, bleiben die Ausnahme und lassen viele Kunsthändler ratlos zurück. So mancher spricht schon vom Auslaufmodell Galerie. Einige Galeristen haben ihren Ausstellungsraum schon aufgegeben und sind nur noch als mobile Kunsthändler und Kunstmakler unterwegs. Der Aufschwung der Kunstmessen und die Stagnation des Galerienwesens hängen unabdingbar miteinander zusammen: Wer fünf- oder sechsmal im Jahr auf Messen präsent ist, kann die Galerie nur noch als eine Art Zwischenlager nutzen, und ernsthaft interessierte Besucher treffen den global betriebsamen Galeristen als kompetenten Gesprächspartner gar nicht mehr an.

Trotzdem: Statt am Samstag bei Hugendubel in der Witzbuchabteilung hängen zu bleiben, gehen Sie doch einfach mal in eine der vielen Programmgalerien. Planen Sie den ersten Besuch wie ein Picknick und bringen Sie Nervennahrung und viel Zeit mit. In aller Ruhe kann man sich ein Bild von den vertretenen Künstlern machen. Kataloge sind meist zur Hand und manchmal ist sogar ein auskunftsfreudiger Mitarbeiter vor Ort, der sich nach bibeldicker Buchlektüre menschlichen Kontakt ersehnt. Wenn der Galerist nicht anwesend ist, vertritt ihn nicht selten eine promovierte Praktikantin. Dann

S GALERIE
Günthers Frisierkunst

haben Sie vielleicht Glück, und das Gespräch verläuft nicht sonderlich verkaufsorientiert, sondern wirklich informativ. Lassen Sie sich von arrogantem Personal nicht abschrecken! Rächen Sie sich mit freundlich vorgetragenen, doch bohrenden Fragen und geben Sie sich nicht mit den auswendig gelernten Phrasen zur Arbeitsweise des Künstlers zufrieden. Fragen Sie nach den anderen von der Galerie vertretenen Künstlern, wenn die aktuelle Ausstellung nicht gefällt. Sie können das Spielchen aber auch mitspielen und nach einem ersten intensiven Blickkontakt das Personal vollständig aus Ihrer Wahrnehmung ausblenden. Viele Betriebsnudeln der Kunstwelt kompensieren die Tatsache, dass sich jeder Blödmann Galerist oder Künstler nennen kann – die Berufsbezeichnungen sind nicht geschützt. Aus ihrer Sicht ist es darum umso wichtiger, Seriosität und Noblesse auszustrahlen, was manche Zeitgenossen mit Hochnäsigkeit und Arroganz verwechseln.

KUNST IM DISCOUNTER

Mittlerweile hat sich ein alternatives Galerienmodell etabliert, das eine Mischung aus Kunstvermittlung und Supermarkt darstellt. Während eine Programmgalerie daran interessiert ist, den nationalen oder auch internationalen Kunstmarkt zu bespielen, bleiben diese Modelle dem regionalen Markt verhaftet. Und während die Programmgalerie eine mehr oder weniger begrenzte Anzahl von Künstlern an sich bindet und versucht, diese über Einzelausstellungen, gezielte Verkäufe und die Vermittlung in große kuratierte Themenausstellungen auf dem Markt zu etablieren, setzen die Kunstsupermärkte auf Masse. Während es zum guten Ton einer Programmgalerie gehört, für die eigenen Schützlinge ein Werkverzeichnis zu führen, den Kontakt zur Außenwelt zu regulieren und die Imagebildung des Künstlers aktiv zu gestalten, kennen die Betreiber der Supermärkte nur Namen und Anschrift des ausgestellten Künstlers. Sie machen sich die Tatsache zunutze, dass der international orientierte Kunstmarkt hochpreisig und die Kunst auf diesem Markt oft schwer zugänglich ist. Es gibt kaum eine Stadt, in der es noch kein Kunstkaufhaus gibt, und es ist zu vermuten, dass immer mehr arbeitslose Kulturwissenschaftler, Kunsthistoriker und Betriebswirte sich dieser Idee zur Existenzgründung annehmen.

Die Kunst von Studenten, Akademieabsolventen und Kunstmarktfrustrierten wird hier meist zu einheitlich kalkulierten Preisen angeboten. In den Kunstkaufhäusern fiebert ein bunter Mix von Kauf-mich-Kunst shoppenden Büroangestellten, Kleinunternehmern und urbanen Langweilern mit Sinn fürs Schöne entgegen. »Reich wird dabei aber niemand, weder wir noch die Künstler«, so Meinhard Kuhlmann, Mitbetreiber des Bremer Kaufhaus Kunst, in dem für Flachware ein Basispreis von 200 Euro pro Quadratmeter verlangt wird. »Wir wollen konsequent vermeiden, eine elitäre und arrogante Galerie zu sein.« Hier können sich die Kunden sogar leisten, was in anderen Galerien absolut tabu wäre: Wenn Ihnen ein Bild gefällt, aber mit Sicherheit nicht zu Ihrer Couchgarnitur passt, können Sie es auch in einer anderen Farbe oder in einer anderen Größe bestellen.

Für Künstler, die doch noch auf den Erfolg am großen Markt spekulieren, ist es eine heikle Entscheidung, sich auf dieses Modell einzulassen. Wer einmal drin ist, hat es noch schwerer, in eine Programmgalerie aufgenommen zu werden. Aus diesem Grund greifen viele Künstler zu einem Trick und arbeiten parallel unter einem Pseudonym für den Kunstsupermarkt.

TÖDLICHE SPRECHSTUNDE IM ATELIER

In seiner Erzählung *Das unbekannte Meisterwerk* von 1831 setzte der französische Schriftsteller Honoré de Balzac dem Ateliermythos ein Denkmal. Die Geschichte erzählt vom Maler Frenhofer, der in völliger Isolation an seinem ultimativen Meisterwerk arbeitet. Niemand hat jemals das Werk gesehen, das Frenhofer in seinem höhlenartigen Atelier unter Verschluss hält. Widerwillig lässt er zwei Maler, Poussin und Porbus, ins Atelier, die das angehende Meisterwerk als Gegenleistung dafür sehen dürfen, dass Poussins Geliebte dem Meister zur Vollendung des Werks Modell sitzen soll. Als die beiden ihm entsetzt klarmachen, dass auf dem Bild nichts als Farbenchaos herrsche und nichts zu sehen sei, verbrennt Frenhofer in der folgenden Nacht all seine Bilder und stirbt. Die Moral von der Geschichte? Beim Atelierbesuch sind größte Vorsicht und Fingerspitzengefühl geboten.

Bei prominenten Künstlern kennt die Neugier des Publikums keine Grenzen. So sollen amerikanische Kunstfreunde schon 1.000 Euro geboten haben, um einen Blick in Neo Rauchs Arbeitsräume in Leipzig werfen zu können. Der Künstler selbst fühlt sich von derartiger Neugier gestört. Ihm war schon der ›Tag der Offenen Tür‹ an der Leipziger Kunsthochschule ein Gräuel: »Wir stehen dann in der Unterhose da. Die Künstler sind noch nicht so weit, man kann die halbfertigen Arbeiten dem Publikum noch nicht präsentieren. Und tatsächlich wurde dann getuschelt: ›Warst du schon bei den Malern, da sieht's ja aus wie vor 40 Jahren – und riecht nach Rotwein und Fellwesten‹.«

Die *documenta 11* präsentierte den traditionellen Atelierkünstler schon als aussterbende Art. Ivan Kozaric war mit seinem kompletten Atelier in die Ausstellungshalle eingezogen und wurde von den Besuchern wie ein Pandabär im Zoo bestaunt. Die zeitgenössische Kunst verwendet einen Großteil ihrer Energie auf die Selbstreflexion. Kein Wunder, dass sie auch die Selbstfindung des Künstlers im Atelier zum Thema macht.

ATELIERROMANTIK

Der Sammler Reiner Speck hatte sich in den 1980er Jahren schwer in das Werk des Malers Sigmar Polke verguckt. Als es ihm über Jahre nicht gelang, auch nur eines der Werke zu ergattern, begann er, wie ein Straßenjunge vor Polkes Atelier herumzulungern. Speck beschreibt die Begegnung im Studio, die nach vielen Wochen vergeblichen Wartens dann doch zustande kam, wie ein Ereignis religiöser Erleuchtung. Der Besuch im Atelier eines erfolgreichen Künstlers gewinnt für viele Sammler fast schon die Qualität intimer Begegnungen. Für viele Künstler wiederum ist der Besuch eines erfolgreichen Kurators im Atelier oft genug Anlass, eine kongeniale Unordung zu arrangieren, die intensivste Arbeitsprozesse vortäuscht. Warum ist das Atelier für Kunstfreunde wie für Künstler ein so verheißungsvoller Ort und nicht einfach ein Arbeitsplatz? Hofft das Publikum auf die Lösung des Rätsels moderner Kunst? Auf die Einführung in die Liturgie einer exklusiven Sekte, die aus einer Person besteht? Das Atelier des Künstlers galt im 19. Jahrhundert als geheimnisumwobener Ort schöpferischer Tätigkeit, als Alchimistenbude. Ausnahmen bildeten die zu Erfolg gekommenen Malerfürsten Arnold Böcklin, Hans Makart und Franz von Stuck. Sie gestalteten ihre Ateliers im neureichen Bombaststil, protzten mit Gold, Samt und Seide. Weniger auf Außenwirkung bedacht war Henri Matisse. Er zog sich völlig in seinen Atelierraum zurück. Geschützt durch ständig verhangene Fenster und umgeben von seinen Modellen, malte er auch tagsüber im Pyjama, das ›Kino seiner Empfindungen‹ auskostend.

Doch am geläufigsten ist das romantische Bild des Ateliers. Es wirkt bis heute nach. Wer den Hamburger Maler Gustav Kluge, zuletzt Professor an der Karlsruher Kunstakademie, im Atelier antraf, fand eine organisch gewachsene Unordnung mit Leinwänden, Werkzeugen und Farbtöpfen vor, in denen sich die mysteriösen Zutaten für das Geheimnis ›Kunstwerk‹ verbargen. Allerdings verschleierten die

■ In der Alchimistenbude – Francis Bacons Atelier wurde nach dem Tod des Malers 1992 im Museum rekonstruiert

Rauchschwaden des Kettenrauchers den Blick auf die Bilder. Auch der britische Maler Francis Bacon räumte sein Atelier ungern auf. Die Gegenstände türmten sich Schicht auf Schicht: Farben, Bücher, misslungene Entwürfe, Flaschen, Matratzen, sperrmüllreife Möbel. Nach seinem Tod wurde das Atelier sorgsam erforscht und Stück für Stück in ein Museum überführt, wo man das Chaos originalgetreu wiederherstellte.

VON DER FACTORY ZUR PRODUKTIONSSTRASSE

Der Picasso-Film *Le Mystère Picasso* von Henri-Georges Clouzot zelebrierte 1956 eindrucksvoll den Ateliermythos. Als sich Gerhard Richter in einer TV-Dokumentation an Ähnlichem versuchte, fühlte er sich von der Kamera zu stark unter Druck gesetzt und musste das Filmteam rausschicken. Aber wer weiß, vielleicht war auch das Teil einer Inszenierung? Heute wird das Bild des Ateliers als geheimnisvoller Ort des Schaffens erweitert. Mit Warhols *Factory* entstand ein Geschäftsmodell, das heute vielen erfolgreichen Künstlern als Grundlage ihrer Arbeit dient. Namhafte Künstler beschäftigen heute Assistenten, die oftmals nach einem klar strukturierten Prozess das Werk so weit vorbereiten, dass der Meister dann nur noch die Glanzlichter eigenhändig aufsetzen muss – so zum Beispiel beim Berliner Künstler Franz Ackermann. Auf Reisen gibt er seinen Mitarbeitern telefonisch Anweisungen, wie sie die Leinwände zu bemalen haben – einem individuellen Farbsystem folgend, vergleichbar dem bekannten Malen nach Zahlen. Der Bildhauer Tony Cragg lässt seine Werke gleich komplett von dutzenden Assistenten fertigen. Wenn sich Besuch von Sammlern oder anderen Neugierigen nicht vermeiden lässt, werden die fleißigen Bienchen natürlich lieber weggeschickt. Jeff Koons prahlt sogar damit, dass er nur die besten Kunsthandwerker für seine Kunst engagiert. In Koons Atelier – er beschäftigt um die fünfzig Mitarbeiter – herrscht denn auch eher die Atmosphäre einer optimiert geschmierten Industrieproduktion. Männer in weißen Overalls huschen durch die Räume, stehen in Beratungen vertieft vor irgendwelchen Objekten oder verschwinden in Richtung staubfreien Raum, in dem Koons' Skulpturen auf Hochglanz gebracht werden. Gemütliche Ledersofas oder eine halb geleerte Weinflasche wird man hier vergeblich suchen. Zwischen den vielen Malern, die in Teams an den Bildern des Künstlers arbeiten, stehen sicher auch jene beiden bulgarischen Akademieabsolventen, die einst nach New York gingen, um mit ihrer hervorragenden Ausbildung Koons zu Diensten zu sein.

KÜNSTLER OHNE ATELIER?

In jüngerer Zeit wurde das Atelier von manchen Künstlern ganz abgeschafft, Entzauberung im Sinne des Konzeptkünstlers Sol LeWitt war angesagt: »Der serielle Künstler versucht nicht, ein schönes oder mysteriöses Objekt zu erzeugen, sondern arbeitet lediglich wie ein Büroangestellter.« Die Selbststilisierung liegt hier auf der Hand. »Künstler mit Laptop und ohne Atelier – das sind doch nur Sprüche. Das ist nur ein neues Stereotyp. Ich würde mal behaupten, die haben doch eigentlich, wenn sie kein Atelier haben, nur kein Geld dafür. Das wird dann so als Vor-Ort-Arbeiten verkauft. Und plötzlich haben sie Erfolg und Geld und kaufen sich ein Schloss und machen auf superspießig«, äußerte sich die Malerin Corinne Wasmuht auf die Frage, ob sie, die noch täglich und eigenhändig im Atelier arbeitet, nicht einem überholten Selbstbild erliege. Als zeitgemäße Variante des Ateliers dient auch der großstädtische ›Projektraum‹, meistens ein leer stehendes Ladenlokal mit großen Schaufenstern, in dem sich junge Künstler, Architekten, Filmer und Designer angesiedelt haben. Wenn nicht gerade eine Ausstellung oder Party ansteht, lassen sich die Insassen, die bis spät in die Nacht an ihren Rechnern sitzen, von den Passanten wie Fische im Aquarium betrachten. Hier gibt es keine Aura des geheimnisvollen Ateliers mehr, die sich selbst ausstellenden Künstler wirken wie entfesselte Bürokräfte. Das andere Extrem sind abgelegene Refugien, weit weg von den Aufgeregtheiten des städtischen Kulturlebens. Ateliers in weitläufigen Industrieruinen sind

■ Brachte mit ausgestellten Haufen Chips und Flips selbst eingefleischte Kunstkenner auf die Palme, kann aber auch mit Nuss-Nugat-Creme beeindrucken – Thomas Rentmeister, *Ohne Titel*, 2001

noch immer beliebt. Georg Baselitz residierte lange Zeit sogar auf dem herrschaftlichen Schloss Derneburg in der Nähe von Hildesheim, und Anselm Kiefer liebäugelte in den 1980er Jahren damit, sein Atelier in eine riesige, leer stehende Lokhalle in Göttingen zu verlegen. Für eine symbolische Mark hätte sich der neue Besitzer verpflichtet, die rottige Immobilie in der Dimension mehrerer Fußballfelder wieder flottzumachen. Kiefer verzog sich schließlich nach Barjac in Südfrankreich, wo nicht nur das Wetter besser ist. Auch das Gelände der ehemaligen Seidenfabrik, das sich der Künstler zur Bastion La Ribaute umgestaltet hat, ist noch größer.

Sollten Sie mal einen Ortstermin im Atelier wahrnehmen müssen oder sollten Sie in einen der in vielen Städten üblichen Atelierrundgänge geraten, können Sie Kunst und Künstler kennen lernen, die noch nicht glatt gebügelt marktkonform oder diskursgestählt daherkommen. Aber Vorsicht! Es gibt selbst unter Kunstfreunden einige, die sich vor der Situation fürchten, mit dem Künstler vor den Werken zu stehen und nicht die richtigen Worte zu finden. Sie wissen, was sie mit einem unbedachten Wort anrichten können. Manche Sammler sind sogar der Ansicht, dass die persönliche Bekanntschaft mit den Künstlern, diesen »launischen, egozentrischen Babys«, wie Charles Saatchi sie einmal nannte, das Kunstverständnis eher stört: »Denn es sind die Werke, auf die wir aus sind, und die müssen für sich selbst sprechen. Das Objekt muss diese einmalige Unabhängigkeit ausstrahlen, die jedes Meisterwerk vermittelt. Ob der Künstler nett oder brillant ist oder gefoltert wurde – wenn die Cocktailparty vorbei ist, leben Sie mit der Kunst zusammen und nicht mit dem Künstler«, empfiehlt der Sammler Adam Lindemann.

DAS MUSEUM SUCHT SEIN MASSENPUBLIKUM

Wer in seiner Kindheit mit Städteurlaub und stundenlangen Besuchen in Museen gequält wurde, überträgt eine gute Portion seines Elternhasses auf die Kunst. Mancher Zeitgenosse arbeitet sich sein Leben lang an diesem Trauma ab und zwingt sich aus schlechtem Gewissen zur ständigen Wiederholung der Qualen. Heute findet man diese armen Kreaturen in den kilometerlangen Schlangen der aufgeblasenen Eventausstellungen. Doch in vielen Kunstmuseen, die sich nicht gerade mitten in einem touristischen Hot Spot befinden, die von den Bussen der Pauschalreisearrangements angesteuert werden, herrscht gähnende Leere. Selbst ein hervorragend ausgestattetes Haus wie die Berliner Gemäldegalerie wird kaum besucht, weil es nicht auf der Museumsinsel liegt. Bei Sonderausstellungen drängeln sich dagegen täglich die Massen. Es ist schon seltsam: Rein statistisch haben sich noch nie so viele Menschen mit Kunst beschäftigt, besuchen Kunstausstellungen und kaufen die immer dicker werdenden Kataloge. Noch nie wollten so viele Menschen Künstler werden und noch nie fanden junge Künstler so schnell Eingang in ehrwürdige Museen. Kunstmuseen nehmen heute den Status von Massenmedien ein, was auch auf Kampagnen wie die Lange Nacht der Museen zurückgeht, die inzwischen europaweit Verbreitung gefunden haben. Amerikanische Museologen proklamierten sogar eine ›Visitors' Bill of Rights‹, in der die Grundrechte des Museumsbesuchers auf Erholung, Genuss, Unterhaltung und einen sicheren Toilettenzugang garantiert werden.

Haben sich die Museen mit diesen Marketingerfolgen wirklich einen Gefallen getan? Jugendliche Besucher werden inzwischen durch spezielle Programme wie das Berliner Projekt *Reclaim the arts* angesprochen. In der Bundeskunsthalle in Bonn sorgten Prominente wie Anke Engelke für Aufsehen, die Führungen für Jugendliche anboten.

Das Projekt *Tate tracks* der Londoner Tate Modern versucht, mithilfe von Popmusik ein junges Publikum an die moderne Kunst heranzuführen. Musiker ließen sich von bestimmten Kunstwerken inspirieren, und ihren Kompositionen können die Museumsbesucher dann beim Betrachten der Werke lauschen. Graham Coxon (Blur) widmete sich zum Beispiel einem Gemälde von Franz Kline, Roll Deep einer Plastik von Anish Kapoor und The Landscapes meditierten über Warhols berühmter *Brillo Box*. Erreicht man so die Clubber?

Mit der Langen Nacht der Museen verfolgte man das Ziel, im Sinne eines lebensstilorientierten Kulturmarketings renitente Nichtbesucher ins Museum zu locken, die man zuvor soziologisch definiert hatte als: männlich, jugendlich, proletarisch. Durch Musik und Kulinarisches multisensual angesprochen, in Aktivzonen durch Mitmachspielchen beschäftigt, sollte der Kulturmuffel durch Events emotional an das Museum gebunden werden, damit er hoffentlich wiederkommt – sofern er sich erinnert. Erschüttert mussten Museumsmitarbeiter im Gespräch mit Gästen der Langen Nacht feststellen, dass manche gar nicht wussten, in welchem Haus sie sich gerade befanden – was nicht weiter verwunderlich ist, wenn man sich die ganze Nacht mit Shuttlebussen durch die Kulturlandschaft fahren lässt und in angeheitertem Zustand irgendwo aussteigt. Am Morgen danach beseitigten die zerknirschten Restauratoren das Styropor, das sie zwischen Bilder und Wände platzierten, um den Schaden der Veranstaltungen in Grenzen zu halten.

Nicht wenige Museumsleiter klagen inzwischen schon über den Druck, der von erfolgreichen Ausstellungsevents ausgeht. Benannt nach dem Spektakel des New Yorker Museum of Modern Art-Gastspiels in Berlin, droht die MoMAnisierung: das Schlangestehen, der Menschenauflauf, das Gezähltwerden und Sichdrängeln als Selbstzweck. Im Radau und Geschiebe derartiger Ausstellungen sind die Voraussetzungen zur genauen Kunstbetrachtung natürlich noch schlechter. Für diese Art von Kunstbetrieb reichen im Prinzip auch Reproduktionen aus – was angesichts der gewaltigen Transpiration im Ausstellungsraum auch ein konservatorisches Gebot wäre.

Einerseits werben die Museen um ein Massenpublikum, andererseits haben sie Angst, dadurch Kenner und Snobs zu vertreiben, denen es zu voll wird. Einige amerikanische Museen wie das New Yorker Metropolitan Museum haben schon angefangen, mit De-Luxe-Eintrittspreisen zu experimentieren. Ein 50-Dollar-Ticket hätte zum private viewing an Schließtagen berechtigt, musste aber nach Protesten zurückgezogen werden. Die MoMA-Sonderschau in Berlin bot ein teures VIP-Ticket an, mit dem man sich das stundenlange Warten ersparen konnte. In der Ausstellung fand man sich dann aber im Gedränge des Fußvolks wieder. Selber Schuld!

Kürzlich beschlossen niederländische Politiker, ihren Staatsbürgern in niederländischen Museen freien Eintritt zu gewähren, während die Touristen weiter zahlen sollen: Passkontrolle an der Kasse. Schon zuvor waren italienische Politiker mit einem ähnlich abstrusen Plan an der EU-Rechtsprechung gescheitert – auch dort scheint man neuerdings etwas gegen Touristen zu haben.

LABORMAUS IM MUSEUM

Als Museumsbesucher gerät man manchmal ins Fadenkreuz verdeckt arbeitender Wissenschaftler, die die Gäste beobachten und anschließend befragen. Die Ergebnisse der Besucherforschung sind oftmals deprimierend. In der Münchner Pinakothek ergab eine Untersuchung zu Betrachtungszeiten und Erinnerungsvermögen eine durchschnittliche Verweildauer von 20 bis 60 Sekunden pro Werk. Offenbar ist in dieser Statistik das Dösen mit offenen Augen beschönigend als Betrachtungszeit verbucht worden, denn unmittelbar nach dem Museumsbesuch konnte sich ein Viertel der Befragten an kein Werk und keinen Künstler, über die Hälfte nur an vier oder weniger Werke erinnern, obwohl die meisten ein bis zwei Stunden in der Sammlung verbracht hatten. Tatsächlich quälen sich viele Ausstellungsbesucher auf eine systematische und pedantische Weise durch das gesamte Museum, um ja nichts zu verpassen: kurzer Blick aufs Kunstwerk, kurzer Blick auf den Titel, weiter zum nächsten. Der Wille und die Kraft, sich auf das einzelne Werk einzulassen, sind kaum spürbar. Auch neigen viele Besucher dazu, nur Bekanntes zu suchen und wahrzunehmen. Sie durchforsten die Ausstellungen nach dem Motto ›Kenne ich – kenne ich nicht‹. Der schnelle, hilfesuchende Blick auf den Werktitel offenbart den Unwillen, die Kunst selbst auf sich wirken zu lassen. Zudem haben die Wissenschaftler festgestellt: Was an Lesezeit investiert wird, geht an ›Objektkontaktzeit‹ verloren. Das ist die Haltung des aktiv dösenden Fernsehkonsumenten. In überschaubaren Zeiträumen wollen sie das gesamte Angebot sehen und schnell umschalten dürfen. Doch was beim Fernsehen funktioniert, wo Formate mit sinnfreien Dialogen und simplen Plots für das beiläufige Zuschauen angeboten werden, kann in Ausstellungen nicht gelingen. Das Zappen und Vergessen triumphiert über das Sehen und Verstehen.

DER ENTMÜNDIGTE BETRACHTER

Ein surreales Bild bietet sich in manchen Museumsausstellungen: Wie Scharen ferngesteuerter Roboter bewegen sich die Kunstfreunde durch die Räume. Audio-Guides flüstern ihnen geheime Befehle zu und bestimmen ihren Weg. Sie sind ein zeitgemäßes Sinnbild der althergebrachten Entmündigung des Kunstpublikums. Seit mehr als 100 Jahren werden ihm Vorschriften gemacht, wie es sich moderner Kunst zu nähern habe. Der Philosoph Arthur Schopenhauer äußerte 1844 einen Satz, der für viele Kunsthistoriker und Künstler der folgen-

den Jahrzehnte zum Gesetz wurde: »Vor einem Bild hat sich jeder hinzustellen, wie vor einen Fürsten, abwartend, ob und was es zu ihm sprechen werde; und wie jenen auch dieses nicht selbst anzureden: Denn da würde er sich nur selbst vernehmen.« Die Untertanenposition des Betrachters ist im Verlauf des vergangenen Jahrhunderts immer weiter zementiert worden. Es scheint, als hätten Künstler, Kunsthändler und Kunsthistoriker einen Pakt gegen das Publikum geschlossen. Es wirkt gerade so, als ob der Hauptzweck avantgardistischer Kunst darin besteht, ein festgefügtes Rollenspiel immer wieder aufzuführen. Neue Techniken und Themen werden als kunstwürdig eingemeindet, wobei sich Künstler und Experten immer schon im stillen Einverständnis darüber befinden und dem stets verdutzten Publikum erklären, dieser Gegenstand oder jene Aktivität seien nun wertvolle moderne Kunst.

Mit einem anderen Konzept der Publikumsbeteiligung scheiterte Dirk Luckow, Direktor der Kunsthalle zu Kiel. Das Ausstellungsprojekt mit dem klangvollen Titel *Der demokratische Blick* sah vor, die Mitarbeiter des Museums, von der Putzfrau bis zur Chefsekretärin, selbst entscheiden zu lassen, welche Kunst gezeigt werden sollte. Hausmeister, Reinigungs- und Aufsichtskräfte durften je einen Raum mit Kunstwerken aus dem Bestand der Kunsthalle bestücken. So ganz demokratisch ging das gut gemeinte Projekt dann aber doch nicht über die Bühne. Als die Museumsangestellten stark zu seichten und heimattümelnden Themen neigten, zog Luckow die Notbremse. Das hielt ihn selbst später aber nicht davon ab, die Kunstsammlung des Schlagersängers Jürgen ›Ballermann‹ Drews, unter anderem mit Werken von dessen Frau Ramona, in der Kunsthalle zu präsentieren – Populismus reinsten Wassers.

Die Not der Museen muss wirklich dramatisch sein. Wie anders sind Ausstellungsideen wie *Die nackte Wahrheit* zu erklären? Nackte bekamen beim Besuch des Wiener Leopold Museums freien Eintritt, einen Katalog und eine Tube Sonnencreme. Am Eröffnungsabend kamen tatsächlich 50 Nudisten, begafft von über 1.000 bekleideten Besuchern. In Paris wurde sogar der schlimmste Alptraum jedes Konservators wahr: Unter dem Titel *On danse au Louvre* bat der Direktor des bekanntesten Museums Europas die Jugend zum Tanz in den Rubens-Saal. Auf dem Höhepunkt der Kunstdisco konnten die Wärter nicht mehr verhindern, dass es sich die Gäste so richtig gemütlich machten und sich an die Rubensschinken lehnten. Aber vermutlich war die Schwitzbudenatmosphäre noch weitaus schädlicher für die über 400 Jahre alten Werke als der Körperkontakt.

SPIESSRUTENLAUF IM MUSEUM

Es gibt viele Hürden, die vom Museumsbesuch abhalten können: Leere Ausstellungshallen, in denen man sich auf Schritt und Tritt von den Wärtern verfolgt sieht, gehören dazu. Kommt man kurz vor Einlassschluss, patroullieren sie schon ungehalten um den späten Gast herum. Sind die Wärter gegenüber den Besuchern eindeutig in der Überzahl, neigen sie dazu, sich laut zu unterhalten, ohne Rücksicht auf die Kunstbetrachter. Manchmal fühlt man sich innerlich gekränkt, weil man offensichtlich verdächtigt wird, etwas zu beschädigen oder zu stehlen. Thomas Bernhard hat diesem Aufpasser, den wir alle kennen, in seiner Komödie *Alte Meister* ein literarisches Denkmal gesetzt. Sein Protagonist Irrsigler hat den lästigen Blick, den Aufseher in den Museen anwenden, um die ja, wie man weiß, mit allen Ungezogenheiten ausgestatteten Besucher einzuschüchtern; seine Art, unvermittelt und völlig lautlos um die Ecke gleich welchen Saales einzutreten, um Nachschau zu halten, ist tatsächlich widerwärtig. »In seiner grauen, schlecht geschneiderten, aber doch für die Ewigkeit bestimmten Uniform ... erinnert er an die Aufseher in unseren Strafanstalten.« In manchen Ausstellungen und Museen greifen die Wärter bereits ein, wenn sich vor den Kunstwerken eine diskutierende Gruppe bildet, weil dort nur vom Haus autorisierte Führungen stattfinden dürfen. Wer seinen Freunden selbst die Kunstwerke zu erklären versucht, macht sich fast schon strafbar. Inzwischen haben manche Museen, in denen die Klagen über mangelnde Höflichkeit überhand nahmen, Schulungen durchgeführt, um das Wachpersonal den freundlichen Umgang mit Besuchern zu lehren. Der Künstler Tino Sehgal benutzte 2005 die uniformierten Wärter des Deutschen Pavillons der Biennale in Venedig als Schauspieler, um eine Performance aufzuführen. Sie mussten im Raum umhertanzen und periodisch ausrufen: »It's so contemporary!« Sicher eher ein Witz als ein großes Kunstwerk, war es doch einmal überfällig, die allgegenwärtigen Wächter des Kunstbetriebs zum Gegenstand einer künstlerischen Arbeit zu machen.

ICH HAB' DIE MONA LISA GESEHEN!

Touristen besuchen meist ohne spezifische Vorbildung Ausstellungen, die ihnen vom Reiseveranstalter vorgeschrieben werden. Wer einmal in die müden und angeödeten Gesichter der Schulklassen und Gruppen gesehen hat, wird erkennen, dass der Zwang zur Kunst hier viele Opfer fordert. Die Voraussetzungen für einen idealen massentouristischen Museumsbesuch sind schnell erreichbare Toiletten, Cafés, Museumshops und ein paar berühmte Meisterwerke, um den Daheimgebliebenen später davon berichten zu können. Große Museen wie der Louvre setzen auf den Massentourismus, indem sie Schnellkurse zu den wichtigsten Werken anbieten. Im Louvre markieren Bodenpfeile den direkten Weg zur Mona Lisa. Es herrscht Rechtsgehgebot. Last exit Leonardo da Vinci. Auf der Berliner Museumsinsel sollen die einzelnen Häuser demnächst mit unterirdischen Gängen verbunden werden, damit eilige Besucher fünf Museen in 45 Minuten besichtigen können. Rekordverdächtig!

Der wahre Kunstliebhaber nimmt selbst das Purgatorium quälend langer Busreisen und Warteschlangen auf sich, um anschließend in euphorischer Grundstimmung den Werken zu huldigen. Er ist in der Regel besser informiert als der normale Tourist, wenngleich etwas einseitig. »Ich liebe Picasso. Er ist einfach genial!« oder »Matisse hat mein Leben total verändert!« teilt er seiner Umgebung ungefragt mit. Dieser Enthusiasmus ist oberflächlich, kann aber ansteckend wirken. Für diese Klientel ist ein Besuch im Museumsshop ein Muss. Eine riesige Palette von Fanartikeln wird angeboten: Handtücher, Krawatten, Schirme, Duschvorhänge, Taschentücher, Servietten – für Textildesign sind Klee, Miró, Kandinsky oder Mondrian verantwortlich. Postkarten, Poster, Kataloge, Kaffeetassen, Spielzeug oder gar die aufblasbare stehende Puppe, die Munchs Gemälde *Der Schrei* nachgebildet ist. Der Museumsshop liefert Devotionalien, die an das soziale Ereignis Ausstellungsbesuch erinnern und Zugehörigkeit zur Gruppe der Ausstellungsbesucher demonstrieren. Snobs und Kenner mögen diese kommerzielle Betriebsamkeit verachten. Die Aura des Originals wird durch die vielen Reproduktionen jedenfalls nicht beschädigt, sondern noch verstärkt. Beim Sport gilt Ähnliches. Je mehr Trikots von Ronaldo und Ballack verkauft werden, umso mehr steigt der finanzielle und symbolische Wert dieser Stars, unabhängig davon, wie schmerbäuchig oder untalentiert die Trikotkäufer sind. Je größer der Verkaufserfolg und die Verbreitung der Duplikate, desto heller strahlt das Original. Die Werke mancher Künstler wirken geradezu wie gemacht für den Museumsshop: Keith Harings bewusst infantiles Bad painting schöpfte aus den Formenquellen von Graffiti und Comic und wirkt äußerst dekorativ auf Geschenkartikeln. Als wahrer Meister der Selbstvermarktung eröffnete er noch zu Lebzeiten seinen *Pop Shop* in SoHo zum Verkauf von T-Shirts, Postern und Spielzeug.

Weitere Besuchertypen unterscheiden sich durch ihr Verhalten in der Ausstellung, ihre Lern- oder Mitmachbereitschaft. Auch hier hat die Wissenschaft keine Mühen gescheut, neue Kategorien zu ent wickeln. Sie definiert den ›Watcher‹, einen passiven, beobachtenden Typ, den ›Thinker‹, der intensiv über Kunstwerke und Funktionsweisen nachdenkt, den ›Toucher‹, der zum Anfassen und Ausprobieren

■ Für die kleine Kindheit zwischendurch.
Carsten Höllers Rutschen *Test Site* in der Tate Modern, 2006

neigt, und schließlich den ›Feeler‹, der sich von emotionaler Inszenierung, Raumgestaltung, Musik und Sinnlichkeit angesprochen fühlt. Ausstellungsmacher und Museumspädagogen kommen diesen Bedürfnissen entgegen, indem sie Kunstwerke und Ausstellungsobjekte mithilfe emotionaler Komponenten präsentieren. So verbreitete Carsten Höllers Installation *Test Site* in der Tate Modern in London im Herbst 2006 regelrechte Jahrmarktstimmung. Fünf Rutschbahnen ließ der Künstler einbauen, die Längste maß 58 Meter und überwand spiralförmig die Höhe dreier Stockwerke. Durchrutschende Besucher erzeugen Lichteffekte und holen sich ihr heilsames »Quantum Wahnsinn«, wie es Höller ausdrückt. Die Mailänder Modeschöpferin Miuccia Prada braucht den Wahnsinn täglich und hat sich bereits eine private Röhre bauen lassen, in der sie aus ihrem Büro durch das ganze Gebäude rutschen kann, direkt in die Tiefgarage, wo der Chauffeur wartet.

Immer häufiger zeigen Museen Rauminstallationen, die der Besucher betreten kann, und präsentieren Objekte zum Anfassen und Bewegen. Gerade letztere Hands-on-Exponate, die dem Besucher muskuläre Aktivität abverlangen, gelten als ideale Muntermacher für schläfrig gewordene Gäste. Ambient Art mit ihren Wohlfühlmöbeln und Spielgeräten bedient genau dieses Bedürfnis.

AUSSTELLUNGSBESUCH MIT HINDERNISSEN

Wenn Sie nach all diesen abschreckenden Fakten immer noch beabsichtigen, ein Kunstmuseum zu besuchen, müssen Sie auf mehr achten als auf lockere Kleidung und bequeme Schuhe. Das ist nur eine Voraussetzung für den erfolgreichen Museumsbesuch. Sollten Sie von Rückenproblemen geplagt werden, stehen Sie zu diesem Handicap und scheuen Sie nicht davor zurück, nach einem Klappstuhl zu fragen! Diese lassen sich manchmal ausleihen. Leider sind die meisten nicht gepolstert, was Hämorrhoidenpatienten mit gemischten Gefühlen aufnehmen werden. Holen Sie sich in diesem Fall ein luftgefülltes Sitzkissen mit Mona-Lisa-Motiv aus dem Museumsshop! Angora-Unterwäsche und Erfrischungstücher helfen gegen wahlweise überhitzte oder von Klimaanlagen tiefgekühlte Räume. Riechsalz und Baldriantropfen gehören ebenso zur Ausrüstung wie ein Edding, um Ihrem Unmut spontan Ausdruck zu verleihen. Aber ganz im Ernst: Etwas zum Schreiben sollten Sie schon dabei haben, um sich die eine oder andere Gedächtnisstütze oder Frage notieren zu können.

Neben dem körperlichen Wohlbefinden ist eine weitere Voraussetzung für den Museumsbesuch vonnöten: die Fähigkeit, sich von den anderen Besuchern nicht stören zu lassen, die Reisegruppen elegant zu umgehen und die Fotografierwütigen zu ignorieren. Machen Sie einmal eine Probe: Bleiben Sie länger vor einem Werk stehen und betrachten Sie es eingehend, werden sich andere schnell anschließen, neugierig geworden von Ihrer Neugier. Bleiben Sie noch länger stehen, werden sich die anderen Besucher wieder kopfschüttelnd abwenden.

Als Alternative zum ermüdenden Schneckengang bietet sich folgende Technik an: Man kann die Ausstellung mehrfach im Schnelldurchlauf durchmessen, um zunächst das Raumklima und das Ordnungsprinzip der Schau zu erfassen. Dadurch wird die Fähigkeit trainiert, Wechselwirkungen einzelner Kunstwerke und Höhepunkte in der Inszenierung zu erkennen. Sobald man sich einen Überblick verschafft hat, kann man sich in aller Ruhe einzelnen Objekten und Ausstellungsteilen zuwenden. Wenn Sie diese Methode für unrealistisch halten, dann glauben Sie wenigstens einem weit gereisten Mann wie Umberto Eco. Er geht nur in Museen, die er schon kennt. Nur ein einziges Kunstwerk schaut er sich dort an. »Ich verbringe eine halbe Stunde vor dem Objekt, dann gehe ich wieder, um den Zauber nicht zu zerstören.«

■ Angeblich verwirft der Künstler 70 Prozent seiner Entwürfe. Dies hier ist übrigens ein Werk von den anderen 30 Prozent ... David Shrigley, *How Much Does It Cost?*, 2003

KAPITEL 4

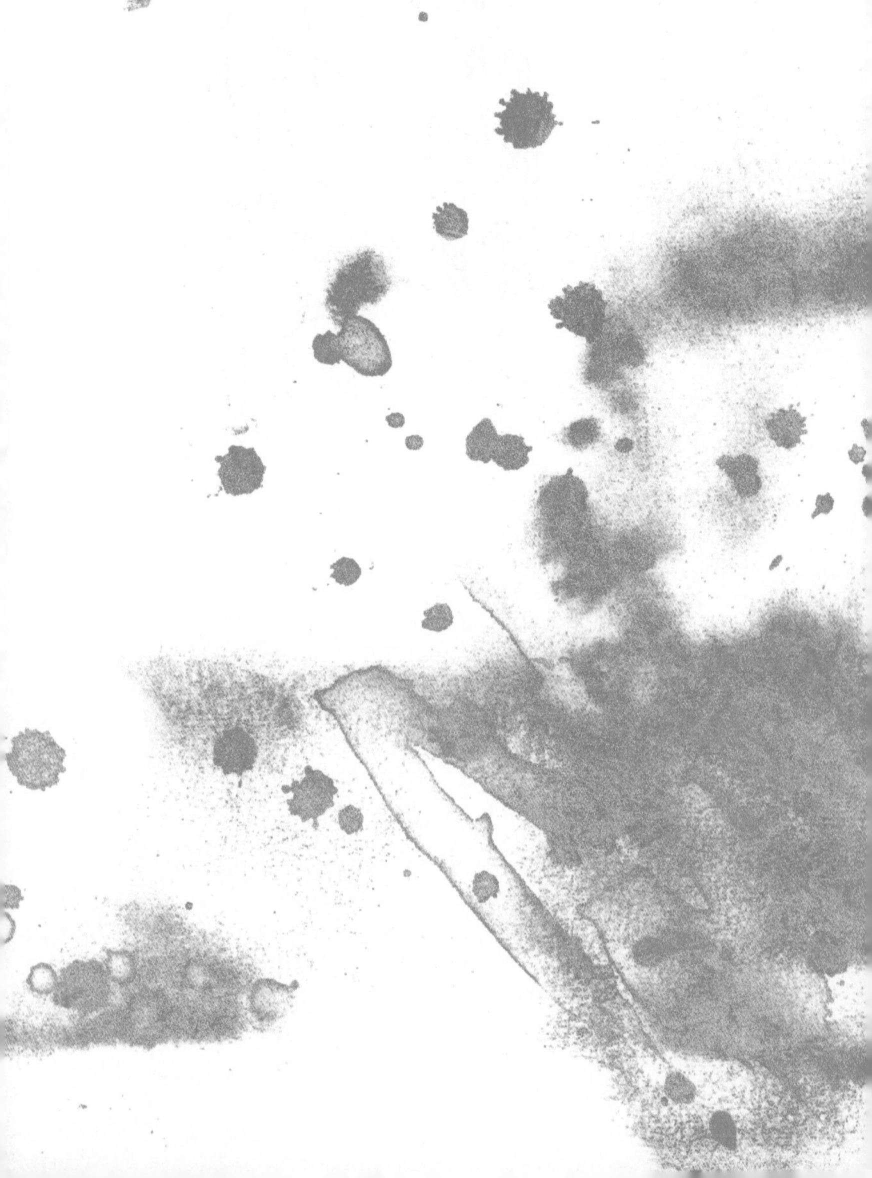

»DAS SAGT MIR WAS!« ODER: DIE SPRECHBLASEN DER KUNSTKENNER

Geht es Ihnen auch so, dass Sie von Selbstzweifeln geplagt werden, wenn Sie mal wieder ein Kunstwerk nicht verstanden haben oder sich in einer Ausstellung langweilen, während Ihre Mitmenschen vor Begeisterung platzen? Bei Gruppenführungen in Museen schalten Sie regelmäßig ab: diese endlosen Monologe! Und mit der aufgesetzten Ergriffenheit vor nichtssagenden Kunstwerken können Sie erst recht nichts anfangen. Auch im Bekanntenkreis plagt Sie der Kunstkomplex, wenn jemand vorschlägt, in die Kunsthalle zu gehen. Wie da mancher eine ›Mystik der Eingeweihten‹ zelebriert und sein Kunstverständnis als esoterische Erleuchtung hinstellt! Wer dann trotzig zu Protokoll gibt: »Ich verstehe nichts von Kunst« oder gar: »Kunst ist mir schnuppe«, hat schnell den Ruf eines provinziellen Kulturbanausen weg.

SPRECHEN ÜBER KUNST – UNMÖGLICH?

Das Reden über Kunst ist wie ein Tanz, den man erlernen kann. Viel Übung macht den Meister, während sich der Anfänger bei seinen ersten Schritten unwohl fühlt. Es ist die Angst vor einer Blamage, vor ungelenken Bewegungen auf dem Kunstparkett, die uns hemmt und verstummen lässt. Aber nicht jeder empfindet diese Scham ...

Ein Kurs von Kunststudenten steht im großen Beuys-Saal eines Berliner Museums. Doch der Student, der über den einflussreichen Künstler referieren soll, hat die Nacht durchgefeiert und sein Referat frühmorgens hastig aus dem Internet zusammengeschustert. Er kommt zu spät und weiß wenig über Beuys, aber er strotzt vor Selbstbewusstsein. Also rein ins kalte Wasser, die anderen haben schließlich auch keine Ahnung! Der Student gibt eine oscarreife Vorstellung, bis er auf das raumgreifende Kunstwerk im Saal zu sprechen kommt. Nun sind seine Improvisationskünste gefragt. Flugs greift er auf, was er sieht, und interpretiert munter drauf los. Da das Werk gerade erst

angeliefert wurde – die Klasse durfte mit einer Sondergenehmigung in den Saal –, liegen die Bestandteile noch verpackt auf Paletten. Kein Problem für unseren Referenten. Dankbar greift er die Verpackung auf, hier sähe er »eine Parallele zu Christo«. Man nehme die luftpolsterumhüllten Steine viel schärfer wahr. Wie Ungeborene wirkten sie. Die Paletten seien ein deutlicher Verweis auf die Strategie des

Künstlers, die herrschaftlich-museale Präsentation auf Sockeln und Podesten zu unterwandern. Außerdem reflektiere der Künstler mit seinem Werk das Nomadische unserer Gesellschaft, die Arbeit wirke wie auf der Durchreise, immer bereit zum schnellen Abtransport. Die Reaktion der Zuhörer auf die flotte Theorie vom musealen Wanderzirkus überrascht wenig: betretenes Schweigen ...

So wie man als junger Erwachsener lernt, sich zu benehmen, kann man sich auch im Umgang mit der Kunst mit Konventionen wappnen. Einstudierte Floskeln dienen als Fachjargon, ohne sich tatsächlich mit der Kunst auseinander zu setzen. Die Hemmung, über Kunst zu sprechen, wächst mit steigendem Alter, abgesehen von der Redseligkeit mancher Senioren. Während sich Kinder und Jugendliche noch spontan zur Kunst äußern, tun sich Erwachsene damit schwer.

Doch eigentlich muss sich – zumindest auf einer Vernissage – niemand davor fürchten, einen tiefschürfenden Kommentar zur ausgestellten Kunst abgeben zu müssen. Hier sind Sie meistens von Leuten umgeben, die genau so wenig Ahnung von zeitgenössischer Kunst haben, aber ganz selbstverständlich das Recht beanspruchen, dabei zu sein. Mit einer Handvoll auswendig gelernter Phrasen sind Sie willkommen im Klub. Diese Sätze dienen als Schwimmflügel, um im Small Talk nicht unterzugehen, oder als Schutzschild. So kann man auf elegante Weise gar nichts oder das Gegenteil von dem sagen, was man meint. Müdigkeit, Ablehnung und Desinteresse lassen sich mühelos kaschieren. Die anderen freiwilligen oder unfreiwilligen Kunstbetrachter machen es genauso. Vermeiden Sie einen Gesprächseinstieg mit dem Satz: »Wo sind denn hier die Toiletten?« Das ist zwar die am häufigsten gestellte Frage in Museen. Dennoch sollten Sie den Künstler, den Museumsdirektor oder noch wichtigere Leute damit nicht behelligen – es sei denn, Sie wollen sich zusammen mit denen die Nase pudern.

ÖFTER GEHÖRT BEI AUSSTELLUNGSERÖFFNUNGEN:

»Sehr schön!«

Passt immer. Aber nicht zu oft sagen, denn wer jeden Wein lecker findet, gilt bald als Schnapsdrossel!

»Tolles Catering!«

Sagt man nicht, auch wenn es stimmt. Beste kulinarische Qualität wird als selbstverständlich erachtet.

Wenn das Speiseangebot lediglich aus Chips besteht und Sie noch Single sind, schnappen Sie sich eine ganze Schale von dem scharfen Zeug. Das verschafft Ihnen ungeahnte Kontaktmöglichkeiten.

»Billigen Rotwein haben sie jetzt hier.«

»Früher war alles besser.«

Meckern ist immer erlaubt. Gerade für urbane Penner und ungebetene Gäste ein wichtiger Bestandteil der Vorwärtsverteidigung.

»Was will uns der Künstler damit sagen?«

Ziemlich altbackene, schon häufig parodierte Frage. Nur noch ironisch und mit viel Promille verwendbar.

»Mal was anderes!«

Ambivalentes, diplomatisches Werturteil. Kann gedämpfte Zustimmung bedeuten bis hin zur totalen Ablehnung.

Aber Vorsicht:

Wenn Sie sich gerade auf der zigsten Retrospektive eines internationalen Künstlerstars befinden, ist der Spruch einfach unpassend.

»Eine exzeptionelle Ausstellung!«

Etwas geschwollene, euphorischere Wendung für »Mal was anderes!« Nur mit dem passenden Outfit sollte man sich so gewählt ausdrücken. Wenn Sie bevorzugt Ballonseide tragen und tagsüber Bier trinken, reicht auch »Geil!«

»Wo ist denn der Künstler?«

»Wer ist denn der Dicke mit dem Hut?«

Nur sagen, wenn man den Künstler kennen lernen will und ernste Absichten hat. Nicht nach prominenten Künstlern oder Gästen den Hals recken! Promis stets ignorieren oder mit falschem Namen ansprechen, wenn es gar nicht anders geht. Tun Sie so, als seien Sie ständig von VIPs umgeben und könnten sich nicht all die Namen von drittklassigen Fernsehschauspielern merken.

»Sie sind Künstler – und kann man davon leben?«

Bisweilen gut gemeinte, onkelhafte Frage von Banausen. Oder vielleicht purer Sadismus? Jeder weiß, dass die allermeisten Künstler nicht davon leben können. Im Übrigen eine unverschämt intime Frage: Man würde beim flüchtigen Small Talk andere Selbstständige ja auch nicht nach ihren Bilanzen oder der aktuellen Konkursgefahr fragen. Die Frechheit kann man noch steigern: »Sie sind Künstler – und wovon leben Sie?«

»Man kriegt ja hier keinen Parkplatz!«

Alltagskonversation, falls sonst keine Einfälle eine Verspätung rechtfertigen. Nicht verwenden in Kreisen, in denen Sie die erstaunte Gegenfrage kassieren könnten: »Was, Sie fahren noch selbst?« Alternativ: »Bin gerade ausgeraubt worden!« Mit dieser Mitleidsnummer könnten Sie gleich noch ein paar Euro abgreifen – »fürs Taxi natürlich!«

»Schatz, das würde doch gut über die Durchreiche zum Esszimmer passen!«

Nicht so laut. Sie wecken sonst bei erfolglosen Künstlern Hoffnungen oder riskieren, den ganzen Abend von ebenso erfolglosen Galeristen belästigt zu werden. Niemals während der Ausstellungseröffnung schon Kaufabsichten äußern! Und erst recht nicht mit Scheckheft oder Bargeld herumfuchteln! Das gilt auf der Vernissage als höchst unfein.

Wer sich schon etwas sicherer fühlt, kann's auch mal so probieren:
»Also, bei diesen Lichtverhältnissen muss die Hängung schwierig gewesen sein.«
»Die Inszenierung der Ausstellung gefällt mir. Sie ermöglicht eine Korrespondenz zwischen den Arbeiten.«
Auch gut:
»Die Ausstellung greift die Gegebenheiten des Raums schön auf.«
Oder schlicht:
»Super Location! Schöne Atmosphäre!«

Und superschön um den heißen Brei herumgeredet. Dies alles kann man sagen, wenn man zur Kunst überhaupt keine Idee hat – oder wenn die Werke so schlecht sind, dass man aus Höflichkeit lieber schweigen möchte:

»Der/die ist aber alt / fett geworden!«
»Seid ihr auch später im Borchardt/im White Trash? – Was, ihr habt keinen Tisch bekommen?«
»Wer hat denn hier dieses nuttige Parfüm?«
»Was macht denn der Dings mit seiner Alten hier? In den Förderverein darf jetzt wohl jeder Prolet rein!«

Der übliche Tratsch, der der sozialen Abgrenzung dient. Soll sagen: Wir sind etwas Besseres. Wir sind in und du bist out.

SPIELEN SIE DEN KUNST-COLUMBO

Wenn Sie doch mal einem phrasendreschenden Kunstexperten ausgeliefert sind, nehmen Sie ihn einfach beim Wort! Fragen Sie nach, was der Bescheidwisser mit seinen hingeworfenen Weisheiten genau meint. Das kann die Partystimmung ungemein stören und dazu führen, dass sich Ihr Gesprächspartner eiligst verabschiedet, weil dort hinten ein ›sehr, sehr guter Freund‹ wartet. Wenn der Schwätzer jetzt nicht das Weite sucht, will er Ihnen wohl irgendetwas verkaufen. In diesen hartnäckigen Fällen verlegen Sie sich auf die Kontertaktik. Spielen Sie den Kunst-Columbo! Sie mimen den Dummen, den Branchenfremden, der den Rat des Experten sucht. Ihr Gegenüber wird sich geschmeichelt fühlen. Lassen Sie sich belehren, aber stellen Sie die Fragen: Wer fragt, der führt. Lassen Sie den Angeber erst mal aus der Deckung kommen. Kontern Sie im richtigen Moment, wenn sich Argumentationslücken und begriffliche Schwammigkeiten zeigen. Die Floskeln des Kunstjargons bieten breite Angriffsflächen. Kommen Sie immer wieder auf das konkrete Kunstwerk zurück, wenn der Kunstkenner längst im philosophischen Gestrüpp zwischen Derrida, Flusser, Butler oder Luhmann herumirrt. Ein Mindestmaß an Konzentration ist bei diesem Spiel allerdings erforderlich. Bestehen Sie auf einfachen Antworten, auch auf scheinbar naive Fragen. Hier zeigt sich, wie leicht man mit der Taktik des Understatements die Experten abkochen kann.

Das hat einen einfachen Grund. Denn das Sprechen über Kunst ist paradox. Die Sprache versucht, das Kunstwerk zu erfassen, doch ein entscheidendes Merkmal von Kunst ist ja gerade das ›Begriffslose‹. Es bleibt immer ein unerklärbarer Rest, den man fühlen muss – wie beim Musikgenuss. Versucht man, sich im Sprechen über Kunst diesem Punkt zu nähern, stößt man irgendwann an die Grenzen des Beschreibbaren. Es gehen uns im wahrsten Sinne die Worte aus. Sobald man sich einem Detail des Kunstwerks nähert, entgleitet das

Ganze. Und unter diesen Schwierigkeiten fängt man auch noch an, über die exakte Bedeutung der Worte nachzudenken! Doch genau darin liegt ein Reiz des Sprechens über Kunst. Im Versuch, das auszudrücken, was wir sehen, aber nicht verstehen, entdecken wir möglicherweise etwas von uns selbst. Umso stärker nehmen wir jetzt Floskeln und hochtrabende Nullsätze in unserer Umgebung wahr. Wir merken, wie schnell sich Kunstkenner vom Kunstwerk selbst abwenden, um mit Hintergrundwissen über die Biografie des Künstlers, Details zur Entstehungsgeschichte des Werks oder mit philosophischen Verweisen anzugeben. Natürlich verkommen solche Kunstgespräche auch gern mal zu Wettbewerben der Eitelkeit. Bei Männern führt das zu einer intellektuellen Form des Penisvergleichs, bei Frauen stellt sich alsbald die gefürchtete Stutenbissigkeit ein. Aber so weit muss es ja nicht kommen! Also immer locker bleiben.

UNTER KUNSTVERDACHT

Können wir uns nicht einfach darauf einigen, stille Genießer – oder Kostverächter – der Kunst zu sein? Wozu reden? Das eigentlich Paradoxe an der Kunst ist ja, dass sie prinzipiell sehr kommunikativ ist. Durch die Sprache und den Präsentationsort in einer Galerie oder einem Museum geraten Gegenstände erst in den Verdacht, Kunst zu sein. In einer Ausstellung sehen wir die Gegenstände mit anderen Augen. Zudem wird irgendwo ein Schild zu finden sein, auf dem wir den Namen des Künstlers, den Titel der Arbeit und die verschiedenen Materialien, vielleicht sogar den Preis erfahren. Hinzu kommen noch Katalogtexte, Vorträge und Eröffnungsreden als sprachliche Bestätigungen für das Etikett ›Vorsicht, Kunst!‹.

Bei bekannten Künstlern reicht unter Umständen schon eine begleitende Pressemitteilung aus, um aus einem Alltagsgegenstand Kunst zu machen. Das Wochenendmagazin einer Tageszeitung druckte einmal Fotos von Jenny Holzer, auf denen mit Blut beschriftete Hautpartien abgebildet waren. Der Verlag ließ verlauten, dass man der Druckfarbe echtes Blut beigegeben habe. Prompt stand das Magazin unter Kunstverdacht.

Jedes Kunstwerk trägt zur Diskussion über Kunst im Allgemeinen bei – ob beabsichtigt oder nicht. Als Teil der künstlerischen Gesamtproduktion der Welt wird es zu einer Stimme im Chor – ob man sie heraushört, steht auf einem anderen Blatt. Aus dieser globalen, fast unüberschaubaren Kunstdiskussion wird dann mit zeitlichem Abstand Kunstgeschichte. Manchmal kann man den Eindruck gewinnen, ein Künstler leiste keinen produktiven Beitrag zum immer währenden Kunstdiskurs oder wärme alte Geschichten auf. Der Künstler fühlt sich dann ›unverstanden‹. Berechtigterweise lässt sich einwenden, dass man den Kunstwerken gar nicht ansehen könne, ob sie einen wichtigen Beitrag zur globalen Kunstdiskussion liefern. Das ist auch gar nicht nötig, denn die Kunstdiskussion ist nur ein Teil der Inhalte eines Kunstwerks. Denn es verschafft – idealerweise – immer auch neue, schwer in Worte zu fassende Bedeutungszusammenhänge für an sich bekannte und wenig rätselhafte Zutaten. Aber darüber kann man sich vortrefflich streiten ...

KUNSTBANAUSE ODER KULTURSCHWUCHTEL?

Das Sprechen über Kunst hat es also in sich. Der Düsseldorfer Galerist Alfred Schmela urteilte über Gemälde ganz souverän: »Dat is en Bildche. Hm – prima Maler.« Waren seine Gesprächspartner noch unschlüssig, schob er »Klasse, Mann!« hinterher. Und wenn das noch nicht reichte: »Jung', der kann malen!« Die meisten Menschen kostet es jedoch mehr Überwindung, über Kunst zu sprechen. Sie gilt als typisch weibliches Gesprächsthema und ist eher in den gebildeten Mittel- und Oberschichten verbreitet. Bei Männern, Jugendlichen und in bildungsfernen Milieus spielt Kunst kaum eine Rolle. Wer sich für Kunst und Kultur interessiert, gilt vielen echten Kerlen als unmännliches Sensibelchen oder schlicht als ›Kulturschwuchtel‹. Aber der Rummel um die zeitgenössische Kunst macht auch vor den großen Jungs nicht halt. Selbst Männerzeitschriften bringen nun schon Reportagen über zeitgenössische Kunst, wobei es die Chefredakteure für nötig halten, sich für dieses ungewöhnliche Thema zu entschuldigen. Die Abneigung gegen Kunst gewöhnen sich Jungen schon in der Schule an: »Ich hasse Kunst – das ist was für Mädchen«, sagen viele, die über ihr mangelndes Talent im Kunstunterricht frustriert sind und dieses Vorurteil bis ins Erwachsenenalter mit sich herumschleppen. Verständlicherweise wird kaum jemand sein Coming out als Kunstfreund im Kreis angeheiterter und feixender Sportvereinskameraden bekanntgeben, sondern dafür einen trauten Ausstellungsbesuch zu zweit wählen. Nach Umfragen eines britischen Online-Dienstes für Museen flirten nicht wenige Besucher mal ganz gern im Museum. Zwei Drittel der Befragten glaubten, mit dem Vorschlag eines Museumsbesuches beim ersten Rendezvous punkten zu können. Beim Sprechen über Kunst kann etwas Poetisches, Zartes und Emotionales in der Luft liegen. Doch allein aus taktischen Gründen ein Date im Museum anzustreben hat keinen Sinn. Die Begeisterung für Kunst sollte nicht vorgetäuscht sein. Etwas Großes beginnt man nicht mit einer Lüge.

Andererseits hat schon jeder die Erfahrung gemacht, dass die weihevolle Stille des Museums auch einschüchtern kann: »Die Leute gehen wie mit einem Rucksack voll Bewunderung in alle Kirchen und Museen hinein und haben aus diesem Grund immer diesen widerwärtigen gebückten Gang«, beobachtet der Schriftsteller Thomas Bernhard in seiner Komödie *Alte Meister*. Man geht gemessenen Schrittes umher. Warum flüstern die meisten Museumsbesucher? Weniger aus Rücksichtnahme, eher weil sie andere Zuhörer fürchten, vor denen sie sich blamieren könnten. Jeder, der im Gespräch über ein Kunstwerk zu einer längeren Erklärung ansetzt, wird schon einmal die Erfahrung gemacht haben, dass sich schnell ungebetene Zuhörer einfinden. Ratlos vor den Kunstwerken, greifen sie nach jeder Informationsquelle. Vor einer Kulisse halblauten Gemurmels würde man sich vielleicht eher über Kunst äußern. Doch selbst dann werden sich die wenigsten zu einer so euphorischen Bestandsaufnahme der modernen Kunst hinreißen lassen, wie sie der Schriftsteller Rainald Goetz in seinem Online-Tagebuch *Abfall für Alle* zum Besten gibt: »Das ganze Kasperletheater mit der gegenwärtigen Kunst ist eine solche Befreiung, es kann für mich gar nicht hysterisch genug sein ...«

GEHÖRT BEIM WOHLWOLLENDEN BETRACHTEN VON KUNST

»Das erinnert mich irgendwie total an ... Picasso!«

Alle schwärmen für Picasso, den vielseitigen Superkünstler des 20. Jahrhunderts. Großes Lob. Aber Vorsicht. Alle, die ein bisschen Ahnung von Kunst haben, hassen Picasso, diesen ewig geilen Greis, rücksichtslosen Frauenverbraucher, künstlerischen Opportunisten und hemmungslosen Massenproduzenten. Der Picassovergleich ist also ein ambivalentes Lob mit einem boshaften Kern.

»Das erinnert mich irgendwie total an ...
Ich komm' nicht darauf, wie hieß er noch?«

Misslungener Versuch, zu loben. Wenn die Gedächtnislücken zu groß werden, dann doch lieber nichts sagen.

»Das ist voller versteckter Anspielungen.«

Soll zeigen, wie anspruchsvoll und hochsymbolisch ein Werk ist, ohne dass man die Anspielungen versteht oder verstehen will.

Tipp: Nach der Einnahme halluzinogener Drogen findet man

selbst bei monochromen Gemälden allerhand versteckte Anspielungen. Vor allem die Farbwirkung lässt sich erstaunlich steigern. Leider werden Ihnen die Gesprächspartner bald nicht mehr folgen können.

»Das Werk ist: sehr emotional / subtil / bewegend/ spannend / intensiv/ dicht / unprätentiös / ambitioniert / visionär/ ergreifend /komplex / zu Ende gedacht / mutig / subversiv.«

Sammlung positiv gestimmter Adjektive, die Sie auch beliebig untereinander kombinieren können, indem man einige substantiviert. Dann sind schöne Phrasen möglich wie: »Ergreifend emotionale Komplexität« oder »Unprätentiöse, mutig zu Ende gedachte, subtile Vision« oder »Die emotionale Intensität bewegender Erfahrungsdichte« oder gar »Ein Werk im Spannungsfeld von visionärer Ambition und komplexer Subtilität.«

Hört sich schon gut an, oder?

»Eine stimmige Arbeit!«

Ein zwiespältiger Kommentar. Entweder spricht der Kenner, der ein Gefühl für Komposition, Struktur und Harmonie hat. Wahrscheinlicher ist, dass ein Blubberkönig eine Blendrakete abfeuert. Bei Nachfragen wird er sich auf seine Intuition berufen. Aber Ihnen als Kunst-Columbo kann man ja so nicht kommen. Also: Nur verwenden, wenn man auf Nachfrage auch die Komposition, Struktur und Harmonie eines Werkes erfassen und erklären kann!

»Die Brennwerte stimmen.«

Großes Lob. Sie stehen vor einem echten Hingucker und können gar nicht genug bekommen! Mit diesem technisch-physikalischen Begriff möchte man sagen, ein Werk habe eine positive Energiebilanz: Es regt an und sorgt ›nachhaltig‹ für emotionale Ausschläge, man kriegt was Anständiges für sein Geld. Gute alte Steinkohlebriketts ...

»Das hat was!«

Etwas schwierig, weil man hier Gefahr läuft, auf Nachfragen das ›Was‹ konkret benennen zu müssen. Wer dann stoibermäßig ins Stammeln kommt, hat verloren. Geht also nur, wenn man sich nach »Das hat was!« gleich vom Bild abwendet oder ein anderes Thema anschneidet. Gleiches gilt für »Das sagt mir was!«

»Ganz ordentlich.«

Missmutiges Lob im Stil von »Kann man nicht meckern.« Hier spricht der knurrige, schon übersättigte Kenner.

»Das gefällt mir!«

Dürfen Sie gegenüber dem Galeristen äußern, wenn Sie anschließend was kaufen. Ansonsten signalisieren Sie damit, dass Sie den Jargon der Szene nicht drauf haben. Wenn Sie blenden wollen, sagen Sie es so: »Das korrespondiert mit meinen ästhetischen Erfahrungen.«

»Diese Ausstellung ist gleichsam eine atmosphärische Vergegenwärtigung geistiger Kulminationspunkte.«

Respekt! Sie haben den Kunstjargon exakt getroffen und sich das Schwafeldiplom redlich verdient.

GEHÖRT BEIM UNGNÄDIGEN BETRACHTEN VON KUNST

»Das erinnert mich irgendwie total an ... Ich komm' nicht darauf, wie hieß er noch? Irgendein Künstler aus den 1980er Jahren ...«

Das gab es schon mal, du Nachmacher! Leider kann ich es nicht beweisen. Der Hinweis auf die 1980er Jahre macht den Sack zu. Etwas milder: »Irgendwo hab' ich das schon mal gesehen.« Kann ja sein, vielleicht vom gleichen Künstler ...

»Die Arbeiten sind sehr illustrativ!«

Volltreffer! Besser kann man nicht ins Fettnäpfchen treten.

›Illustrativ‹ heißt nichts anderes als: »Ein doofer Maler«. Wenn der Künstler das gehört hat, können Sie den Fauxpas nur noch mit dem Kauf der ganzen Ausstellung wiedergutmachen. Achten Sie also auf Ihre Lautstärke.

Sie können ›illustrativ‹ auch ersetzen durch ›bemüht‹/›gewollt‹/›verkopft‹/›ideenlos‹/›altbacken‹/›draufgehalten‹/›platt‹/›prätentiös‹/›überschätzt‹ oder ›trendy‹.

So langweilen Sie sich nicht selbst, wenn Sie Ihrer Ablehnung gern und häufig Ausdruck verleihen. Auf der Vernissage empfiehlt sich grundsätzlich Zurückhaltung – es sei denn, Sie wollen Aufsehen erregen. Sparen Sie sich die abwertenden Vokabeln lieber zum späteren Lästern in kleiner Runde auf.

»Was der/die da macht, geht gar nicht mehr!«

Der Künstler hat den Anschluss verpasst – ein provinzieller Nachzügler oder ein Gespenst aus der Kunstweltvergangenheit. Stark abwertend.

»Der/die macht im Moment zu viel.«

Mit dieser Kritik signalisieren Sie Expertenwissen. Sie beobachten den Künstler schon seit Jahren! Wenn Sie sich nicht so weit aus dem Fenster lehnen wollen, reicht auch: »Der/die war auch schon mal besser.« Das Alterswerk eines Ihrer Meinung nach überschätzten Künstlers können Sie auch folgendermaßen ins Abseits schieben: »Der sucht nicht mehr. Da ist keine Bewegung mehr drin.«

»Für die Brisanz des Themas sind die Arbeiten zu ästhetisch.«

Erstklassig! So lassen Sie den Kunstkenner raushängen. Mit diesem Totschlag-Argument schieben Sie den Künstler in die Gefälligkeitsecke, wenn er auf Exkremente, Müll und tote Tiere verzichtet. Aber was wollen Sie? Soll das Blut spritzen? Dann gehen Sie mal wieder in einen Mel-Gibson-Film. Oder wollen Sie wirklich eine Diskussion vom Zaun brechen? Dann sollten Sie Ihre Hausaufgaben gemacht haben.

»Da kann man ja gar nichts erkennen.«

Haben Sie Ihre Brille vergessen? Natürlich ist gemeint: Das Werk gibt nicht die Wirklichkeit wieder, keine Menschen, Tiere, Landschaften. Wenn Sie heute noch diesen Anspruch an Kunst haben, schweigen Sie lieber!

»Das ist doch keine Kunst!«

Lieber nicht verwenden. An der Frage »Was ist Kunst?« haben sich schon Generationen von Fachleuten und Philosophen abgearbeitet. Mehr dazu im nächsten Kapitel.

»Das hätte ich auch gekonnt!«

Hier geht es offensichtlich um Kritik an der simplen Idee oder mangelhaften technischen Ausführung eines Kunstwerks. Was bekanntlich nur ein Aspekt des Kunstwerks ist. Die Antwort lautet in jedem Fall: »Hättest du nicht!«

»Dieses Kunstwerk beleidigt den Islam!«

Verhängen Sie Ihre persönliche Fatwa! Gut vorbereiten, indem Sie die Galerie schon im Vorfeld mit Hass-E-Mails eindecken und sich einen Vollbart wachsen lassen! Und vielleicht kann man auf diese Weise wieder mal weltweit Randale inklusive Flaggenverbrennungen anzetteln? Auch Khomeini hat mal klein angefangen.

»Das ist einfach lächerlich!«

Tödliches Urteil, am besten halblaut herauszischen. Hier spielen Sie den Snob, der über den Dingen steht. Bitte nur mit gequältem, verächtlichem Gesichtsausdruck kombinieren.

»Gott, ist das schlecht!«

Klare Worte, wenn Ihnen die Ausstellung nicht gefallen hat. Glückwunsch!

»Hilfe, ich hasse Kunst!«

Auch wenn es manchmal auf der Zunge liegt und eigentlich Ihre Grundüberzeugung ist: Vermeiden Sie düsteren Kulturpessimismus, der einfach nicht auf eine Vernissage gehört.

»Schweinkram! Sauerei!«

Dieses unmissverständliche Urteil am besten während der Vernissage laut herausschreien. Mit Einladungskarten herumwerfen, die Grenze zur körperlichen Nötigung aber nicht überschreiten, falls die Polizei schon auf dem Weg ist. Auch als Open-Air-Übung für Schauspielschüler geeignet.

»Das ist ja ... entartet!«

Halt, halt! Sie reden sich gerade um Kopf und Kragen! Oder wollen Sie NPD-Landtagsabgeordneter werden? Die nehmen jeden, der bis drei zählen kann.

SPRACHLOS UND AGGRESSIV

Die Sprachlosigkeit des Publikums führt manchmal auch zu handfester Aggression. Viele Kunstwerke wirken leer und stümperhaft – trotzdem werden sie groß gefeiert. Bei vielen Betrachtern wächst der Verdacht, die Kunstgesellschaft leugne aus Eitelkeit und materiellen Interessen die Nichtigkeit der Werke. Andersens Märchen *Des Kaisers neue Kleider* scheint hier wahr geworden zu sein. Man hasst geradezu, was da im glänzenden Rahmen der Galerien und Museen so armselig und öde daherkommt. Diese Reaktion ist allerdings von manchen Künstlern oder Ausstellungsmachern vorausberechnet: Sie wollen stören und die passive Konsumhaltung des Besuchers verändern, indem sie ihn ärgern und damit hoffen, Diskussionen und Nachdenklichkeit zu erzeugen. Es soll sogar Ausstellungen geben, die mit voller Absicht möglichst langweilig gestaltet wurden – als konzeptionelles Gegengewicht zur lärmigen Spektakelsucht des Kunstbetriebs. Vor mehr als hundert Jahren war die lautstarke und handgreifliche Reaktion des Publikums noch eine vertraute Erscheinung im Kulturbetrieb – sei es in der Oper und im Theater, sei es bei Kunstausstellungen. Das Verhöhnen avantgardistischer Malerei war

■ Santiago Sierra – *Haus im Schlamm* in der Hannoverschen Kestnergesellschaft, 2005. Sierra spielte die Nazi-Karte: Im Nationalsozialismus mussten ›Notstandsarbeiter‹ den nahe gelegenen Maschsee anlegen. Eine Inspiration für den Künstler ... doch die Pläne zu dem See stammten schon aus dem 19. Jahrhundert

in der damaligen Kunstmetropole Paris ein verbreitetes Ritual. Aufgeputscht von reißerischen Zeitungsberichten, ging man in die Ausstellungen von Künstlern, die in den offiziellen Salons abgelehnt worden waren, um zu lachen, zu pöbeln oder zu spucken. Die Presse beschimpfte diese Künstler als ›Wilde‹, ›Affen‹ oder ›Geistesgestörte‹. Manchmal schlugen aufgehetzte Besucher Nägel und andere Gegenstände in die Bilder. 1903 versuchten wütende Kunstbetrachter, von Henri Matisses Gemälde *Femme au Chapeau* die Farbe abzukratzen. Die Schriftstellerin und Augenzeugin Gertrude Stein war von dem Vorfall so beeindruckt, dass sie das Bild kaufte.

Diese Szenen sind heute selten geworden. Spontane Gefühle von Abneigung und Ekel zu zeigen gehört im Theater oder im Museum nicht mehr zum gängigen Verhaltensrepertoire. Wer es trotzdem tut, gilt als Irrer oder Hooligan. Das Publikum ist derart domestiziert, dass es sich alles bieten lässt. Künstler und Ausstellungsmacher haben sich an das Phlegma gewöhnt. Einerseits ist es bequem für sie, anderseits leiden sie darunter – angeblich. Sie genießen Narrenfreiheit und rechtfertigen jede Provokation als künstlerisches Konzept, um das Publikum ›wachzurütteln‹ oder seine ›Denk- und Sehgewohnheiten zu hinterfragen‹.

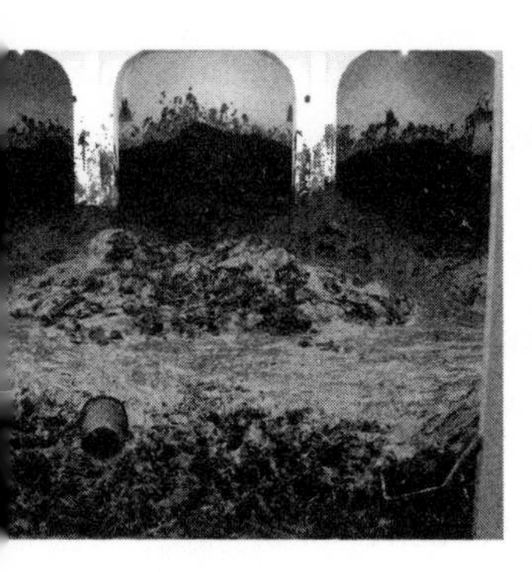

Doch wenn die Besucher einmal außerplanmäßig aktiv werden, kommt Panik auf: Selbst ein so hartgesottener Provokateur wie Santiago Sierra gerät aus dem Häuschen, wenn das Publikum auch nur die geringsten Anzeichen von Aufmüpfigkeit zeigt. Einmal ließ er im Erdgeschoss der Kestnergesellschaft in Hannover tonnenweise Schlamm auskippen, den die gummistiefelbewehrten Besucher durch ihre Fußspuren im ganzen Haus verteilen sollten. Das machten sie auch brav. Als einige aber anfingen, mit dem Schlamm Herzchen an die Wände zu malen, reagierte Sierra empört und ließ das Wachpersonal verdoppeln.

EINFACH MAL DAMPF ABLASSEN!

Weil kein Ventil mehr da ist, wächst die unterschwellige Aggression gegen Kunst und die Schadenfreude, wenn Kunstwerke mit Müll verwechselt oder zerstört werden. Vor allem Kunstobjekte im öffentlichen Raum sind dem Vandalismus ausgesetzt. Diese Kunst hat den Schonraum des Museums verlassen und trifft auf ein Publikum, das die Spielregeln der Kunst nicht immer befolgt. Man haut Löcher in Skulpturen, bemalt sie oder nutzt Kunstobjekte für Trinkgelage. Der amerikanische Bildhauer Richard Serra weiß davon ein Lied zu singen. Seine sperrige Stahlskulptur *Terminal* auf der documenta 6 1977 wurde immer wieder mit Parolen bemalt: »Für so eine Scheiße könnten hunderte von Menschen gerettet werden« oder »Weg mit dem Schrott«. Bald galt die Plastik als teuerstes Pissoir der Welt, weil sich zahlreiche Besucher an ihr erleichterten. Der Boden ringsherum weichte auf. In Kassel war man froh, als die Stadt Bochum das besudelte und ungeliebte Kunstwerk schließlich erwarb.

Manchmal paart sich Vandalismus mit Konzeptkunst. Anfang 2006 etwa veränderte der Franzose Pierre Pinoncelli eines von Duchamps Ready-Made-Pissoirs nach seinen Vorstellungen, indem er es mit einem Hammer beschädigte und seine eigene Signatur draufmalte. Er rechtfertigte seine Tat damit, dass es sich um eine »Hommage an den Dada-Geist« handele. Trotzdem wurden ihm in einem Prozess 214.000 Euro Schadensersatz und Reparaturkosten aufgebrummt. Voller Schadenfreude nahm die britische Öffentlichkeit die Performance zweier Künstler wahr, die sich 1999 in der Tate Gallery in Tracey Emins Installation *My Bed* einmischten. Halbnackt hüpften sie in Emins ungemachtes Bett und nippten an den Wodkaflaschen. Zunächst klatschten die Museumsbesucher begeistert, weil sie dachten, die Show gehöre zum Kunstwerk. Dann kamen die Aufseher und rangen die ›Vandalen‹ zu Boden. Der niederländische Künstler Dimitri Spijk stellte laut eigenen Angaben die erste vandalismussichere Plastik her, die an einer Stelle errichtet wurde, wo bereits zwei Vorgänger-Kunstwerke demoliert worden waren. Die zwei Meter hohe Frauenskulptur hatte einen Metallkern, war mit vier Lagen Polyester ummantelt und von glitschigem Silikon überzogen, das ein Erklettern oder Besprühen unmöglich machte. Dennoch wurde das Kunstwerk im Mai 2006 zerstört – durch Brandstiftung. Man kann diese Publikumsreaktion als Widerstand gegen die dominante Geste einer Elitekunst interpretieren, die durch Unverständlichkeit provoziert. Manche Künstler hingegen versuchen, relativ unaufdringliche Plastiken und Objekte in der Öffentlichkeit zu errichten, ohne durch Monumentalität und räumliche Dominanz vom Passanten Unterwerfung zu fordern. Jochen Gerz versuchte 1995 gar, die Bürger der Stadt Bremen in den Entscheidungsprozess einzubeziehen, statt ihnen eine künstlerische Auftragsarbeit für den öffentlichen Raum einfach vor die Nase zu setzen. Er ließ 50.000 Bremer Steuerzahler befragen, welche Themen ihrer Ansicht nach kunstwürdig und wichtig seien. 246 Hansestädter – also knapp 0,5 Prozent der Befragten – waren überhaupt bereit, ihr Bedürfnis nach Kunst im öffentlichen Raum zu artikulieren. Die konzeptuelle Arbeit gipfelte in sechs öffentlichen Seminaren, die Gerz mit ein paar interessierten Bremern durchführte.

KANN MAN MIT KÜNSTLERN ÜBER KUNST SPRECHEN?

»Nicht erklären. Niemals!« ließ der Schriftsteller Max Aub seine fiktive Künstlerfigur Jusep Torres Campalans, einen unbekannt gebliebenen Freund Picassos, herausschreien. »Denn alles erklärt sich von selbst, allein, weil es ist.« Wenn das so einfach wäre. Was sagen die Künstler zum Thema ›Sprechen über Kunst‹? Sind sie dabei nicht ehrlicher und persönlicher als das übrige Personal des Kunstbetriebs, weil sie mitten im Schöpfungsprozess stecken? Wie reden Künstler über Kunst? Zunächst einmal muss man ihnen zugestehen: Sie sind keine Pädagogen und streben keine Volksaufklärung an. Im Gegenteil: Demonstrative Publikumsverachtung gehört für viele Künstler zum guten Ton.

Schon untereinander haben Künstler Kommunikationsprobleme. Treffen sich unter Künstlern alte Bekannte, die lange nichts voneinander gehört haben, sorgt die Frage »Arbeitest du noch?« schnell für

Gesprächsstoff. Doch damit ist nicht etwa gemeint, ob jemand schon genug gearbeitet und verdient hat und deshalb vorzeitig den Ruhestand antreten kann. Nein, wahlweise mitfühlend oder arrogant intoniert, möchte man das Eingeständnis des Gegenübers hören, er oder sie habe das Künstlerdasein aufgegeben. Beim britischen Künstlerduo Gilbert & George ging die Abneigung gar so weit, dass sie vor Begegnungen mit Kollegen etwa auf Vernissagen prophylaktisch Unmengen von Alkohol konsumierten: »Damit wir uns nicht immer dieses Zeug anhören mussten!« Willem de Kooning sagte seinerzeit: »Würde ich mit meinen Künstlerfreunden über Kunst reden, hätte ich bald keine mehr.«

DIE SCHWAFELCHARTS DER KÜNSTLER

»Ich versuche, mit meiner Kunst Grenzen auszuloten.«

Breitwandrechtfertigung für unverständliche Kunst und billige, effekthascherische Provokationen.

»Mich reizen die Gegensätze/Brüche/Abgründe.«

So kann man bequem Widersprüchliches, Halbgares und Inkonsequentes im Werk schönreden und perverse Interessen aller Art legitimieren.

»Diese Arbeit ist eine Art Selbstporträt.«

Banale Sprechblase. Natürlich sieht ein Künstler die Welt durch die Ich-Brille. Bei manchem sieht jedes Werk wie ein Selbstporträt aus – auch wenn er Nachbars Lumpi malt.

»Ich lasse mich vom Kunstmarkt nicht beeinflussen.«

So reden nur Hungerleider: offensichtlich abgebrannte, gescheiterte Künstler.

»Ich beschäftige mich in meinen Arbeiten mit dem Tod.«

Jetzt dürfen Sie nicht lachen, denn der Künstler meint es ernst! Andererseits: Der viel zitierte Tod verleiht selbst dem flachsten

■ »Call the police. Some vandal has wrecked the Tracey Emin installation!« »Rufen Sie die Polizei! Irgendein Vandale hat die Tracey-Emin-Installation zerstört!«

Kunstscherz die nötige Tiefe. Irgendwie hat ja alles mit dem Tod zu tun. Bieten Sie dem Künstler ein Taschentuch an, im Notfall auch ein benutztes – zur ›Trauerarbeit‹.

»Schönheit im klassischen Sinn interessiert mich nicht.«
Misslungene Kompositionen, völliger Mangel an Farbgefühl und Geschmack, falsche Proportionen, unzureichende Handwerklichkeit und fehlerhaftes Material: alles Absicht, alles konzeptuell!

»Das Bild bedeutet nichts.«

Natürlich bedeutet jedes Bild etwas – manchmal zeigt es nur das Unvermögen seines Schöpfers. Faule Ausrede, um Nachfragen abzuwimmeln oder um sich nicht rechtfertigen zu müssen.

»Leben und Kunst sind bei mir untrennbar verbunden.«

Rechtfertigung, die in zwei Richtungen wirkt: Schlechte Kunst wird durch den turbulenten, rauschhaften, rastlosen Lebenswandel zum ›authentischen Werk‹ erklärt, während Faulheit, Drogenmissbrauch, Unzuverlässigkeit und andere Charakterschwächen mit der schweren Bürde der Künstlerexistenz entschuldigt werden .

»Ruhm ist nur eine Nebenerscheinung.«

Was für ein Heuchler. Natürlich geht es Künstlern nur um das eine: Ruhm. Man gönnt sich ja sonst nichts.

»Ich hab' grade ein spannendes Projekt am Laufen.«

»Wer ›Projekte‹ hat, hat keine Arbeit«, sagen manche. Tatsächlich ist es eine elastische Tarnvokabel für alles und nichts. Das ganze Leben ist ein ›Projekt‹.

»Ich lebe in London, Berlin und New York.«

Was für ein Angeber. Im Zweifelsfall ist der Künstler aber noch bei Mutti und Vati gemeldet. Vor uns tut er jedoch so, als gehöre er zum Jetset. Doch wer dauernd im Jetlag ist, bekommt künstlerisch nichts mehr hin. Glaubhaft nur, wenn der Künstler einen großen Stab von Assistenten hat und mit einem Promi verheiratet ist.

»Das Publikum ist für meine Arbeit noch nicht weit genug.«

Hartnäckig halten sich bei einer staatlich ausgebildeten und finanzierten Avantgarde die Publikumsverachtung und das Märtyrergehabe. Geht meistens einher mit einer hochnäsigen Verdammung des Massengeschmacks. Der ewig unverstandene Künstler leidet stellvertretend für die Menschheit. Jesus lebt!

»Ich hab' der documenta / Biennale von Venedig abgesagt.«

Purer Größenwahn. Oder ein Witz? Schwerer Ironieverdacht!

Mit Künstlern lässt sich schlecht über Kunst reden, vor allem nicht über die eigene. Gregor Schneider zum Beispiel kann zwar wortreich und detailverliebt über die Materialsuche und den handwerklichen Teil seiner Rauminstallationen dozieren. Doch sobald das Gespräch auf Motivation und Deutungsmöglichkeiten kommt, fällt er in ein vergrübeltes Schweigen. Matthew Barney mag es auch nicht besonders, über seine Kunst zu sprechen. Er flüchtet in unverständliche Wortakrobatik, verliert sich in enzyklopädische Details oder erzählt von seiner Zeit als Football Rookie. Der italienische Künstler Maurizio Cattelan verweigert gleich jeden Kommentar. Entweder sagen Künstler also gar nichts, verbreiten nur Plattitüden oder verwirren mit massivem Wortgeklingel. Wer einmal dem Redeschwall eines Daniel Richter ausgesetzt war, weiß, was gemeint ist. Der Mann hätte sicher auch Karrierechancen als Staubsaugervertreter gehabt. Jeff Koons hat es in seiner Jugend immerhin ausprobiert.

Künstler sind keine unparteiischen Auskunftgeber, sondern unerbittliche Agenten in eigener Sache. Die ganze Welt dreht sich um sie. Andere Künstler machen sie erbarmungslos und ohne nachvollziehbare Argumente herunter. Überhaupt sind Künstler nur ganz schwer für Kunst zu begeistern, die nicht von ihnen selbst stammt. Schließlich können auch Künstler von der zeitgenössischen Kunst so irritiert sein wie das breite Publikum. Ihre eigene Kunst hingegen sehen sie oft in einer Ahnenreihe berühmter Vorbilder. Aber in der Regel lassen Künstler lieber andere über sich reden und schreiben. Prominente Vernissagenredner und Katalogautoren wirken dabei besonders wert- und prestigesteigernd. Legendär sind die Tricks des Expressionisten Ernst Ludwig Kirchner, der in den 1920er Jahren unter dem Pseudonym Louis de Marsalle Kritiken über sich selbst schrieb. Als andere Journalisten diesen Kunstfreund, der laut Kirchner als »hauptberuflicher Militärarzt in Marseille« lebte, kennen lernen wollten, ließ ihn Kirchner nach Algier umziehen. Doch auch dorthin wollte ein Bekannter des Künstlers reisen, und nun musste Kirchner die Notbremse ziehen, um seine Lüge aufrechtzuerhalten: Louis de Marsalle sei »überraschend ins Innere des französischen Kolonialreichs versetzt worden« mit unbekanntem Aufenthaltsort ...

Die Unlust mancher Künstler, ihre Arbeiten auch noch selbst zu interpretieren, ist verständlich. In dem Augenblick, in dem sie ihr Kunstwerk mit Worten erklären müssen, wird es gewissermaßen überflüssig. Die Antwort »Das Werk spricht für sich selbst« bekommt man deshalb schnell um die Ohren gehauen. Doch allzu oft schlägt diese Haltung in demonstrative Gleichgültigkeit um. »Ich habe kein Programm, keinen Stil, kein Anliegen ... ich bin inkonsequent, gleichgültig, passiv; ich mag das Unbestimmte und Uferlose und die fortwährende Unsicherheit«, gibt Gerhard Richter betont lässig zu Protokoll und zitiert dabei fast wörtlich Picasso. Gelegentlich paart sich die antiintellektuelle Attitüde der Künstler mit priesterhaftem Getue. Dann betont der Künstler, dass das Werk nur demjenigen mit vielen Vorkenntnissen etwas sagen könne. Einem Politiker, der kein Verständnis für Beuys' Kunst aufbrachte, warf der Künstler an den Kopf: »Sie gehen mit der Uneingeweihtheit eines Menschen, der unzureichend ausgebildet worden ist, an die Sache heran. Die Fragen des Geistes und der Seele haben Sie nicht genug erschüttert.« Jeder weiß: So macht man sich keine Freunde.

KÖNNEN KUNSTHISTORIKER ZEITGENÖSSISCHE KUNST ERKLÄREN?

Phrasen über Phrasen, Sprachlosigkeit, die aggressiv macht. Gibt es keine vernünftige Alternative, um das Sprechen über Kunst zu erlernen? Vielleicht sind die akademischen Experten der Kunstwissenschaft, die hauptberuflichen Kunsthistoriker, die Richtigen, um weiterzuhelfen?

Die Kunstwissenschaft befindet sich in einem Dilemma, seit sie sich von der Ästhetik der Goethezeit gelöst hat, in der das ›Schöne‹ noch mit dem ›Guten‹ unter einer Decke steckte. Die moderne Kunstgeschichtsschreibung hat aber den Anspruch, empirische Wissenschaft zu sein, will Kunstwerke beschreiben, vergleichen, analysieren, darf aber nicht mehr werten: Die Kunsthistoriker dürften eigentlich gar nicht mehr sagen, dies ist gute Kunst und jenes ist schlechte Kunst, dürften nicht mehr nach Blütezeiten und Verfallsperioden, nach Hochkulturen oder primitiver Kunst unterscheiden.

Die Kunstgeschichtsschreibung erarbeitete Qualitätskriterien für Kunstwerke vergangener Jahrhunderte. Sie untersuchte die künstlerische Form des Werks, ordnete sie in Typologien ein und wies Verwandtschaften zu älteren Werken nach. Sie widmete sich dem Aufbau des einzelnen Kunstwerks. Sie unterschied verschiedene Stile, um das einzelne Werk in einen zeitlichen und geografischen Zusammenhang einzuordnen – ein wichtiges Instrument bei der Betrachtung historischer Kunst, die stark von Schulen und Werkstätten geprägt war. Heute dominieren hingegen Individualisten, die Zugriff auf künstlerische Informationen aus der ganzen Welt haben. Die Kunstgeschichtsschreibung befasste sich auch mit dem Inhalt des Kunstwerks, fragte nach seinen Zeichen und Symbolen. Man versuchte auf diese Weise, den einstigen Sinn eines Kunstwerks zu erfassen – eine Methode, die sich gut auf historische Arbeiten anwenden lässt, bei der zeitgenössischen Kunst jedoch wieder an Grenzen stößt. Historische Kunstwerke wurden häufig im Auftrag von Fürsten und Geistlichen angefertigt, sie hatten einen festen Platz in Kirchen und Schlössern und sollten mittels vorgegebener Symbole bestimmte Aussagen verbreiten. Die zeitgenössische Kunst ist nicht nach festen Regeln lesbar, sie folgt individuellen Zeichensystemen und Bedeutungszuweisungen, manchmal verweigert sie sich sogar der Analyse, will abweisend und verstörend sein.

Wer einmal wie ein Profi Kunstwerke interpretieren möchte, sollte wie folgt vorgehen: Am Anfang einer persönlichen Auseinandersetzung mit einem zeitgenössischen Kunstwerk steht die Beschreibung des Sichtbaren in eigenen Worten und mit selbst formulierten Fragen. In der nächsten Stufe versucht man, durch eine zerlegende Untersuchung des Werkes in seine einzelnen Elemente erste Erkenntnisse zu gewinnen und tiefer gehende Fragen nach Material, Komposition, Farben, Formen und Symbolen zu entwickeln. Der Spaß geht noch weiter: Nun bildet man Reihen von Werken in der gleichen Gattung, im gleichen Stil oder in der gleichen Epoche. Man zieht ältere und jüngere Arbeiten desselben Künstlers hinzu. Auf diese Weise kann man die Stellung des einzelnen Werks innerhalb des Œuvres eines Künstlers ermitteln und ins Verhältnis zum aktuellen Niveau der Gattung bringen. Daraus ergibt sich die Einschätzung, wie sich das Werk zum allgemeinen Niveau der gegenwärtigen Kunstproduktion und auch zum individuellen Leistungsniveau des Künstlers verhält. Von Schritt zu Schritt wird das Verfahren immer aufwändiger. Man kann sich mit einem Kunstwerk monatelang befassen. Kunsthistoriker tun das im Zweifelsfall auch Jahre. Die Eigenheiten und Qualitäten eines Werkes und die eigentliche Leistung eines Künstlers kann man allein durch umfangreiche Vergleiche ermitteln, wenn man auf ein eigenes, selbst erarbeitetes Urteil Wert legt und nicht nur angelesene Meinungen wiederkäuen will. Doch wer nicht selbst Spezialist werden kann, muss sich an Empfehlungen halten – die Domäne der Kunstkritiker. Sind sie eine echte Hilfe?

DAS DILEMMA DER KUNSTKRITIK

Jährlich werden tonnenweise Texte über Kunst gedruckt: von der Zeitungskritik bis zum edlen Ausstellungskatalog mit Beiträgen namhafter Autoren. Rezensionen, Katalogbeiträge und Ausstellungs-

führer sollten eigentlich helfen, die Kunst zu verstehen – und mit dieser Hoffnung kauft sie der Ausstellungsbesucher. Die Enttäuschung ist unvermeidlich. Statt sachlicher Beschreibung oder nachvollziehbarer, kritischer Analyse herrscht ein manchmal poetischer, manchmal metaphysischer Singsang vor, ergänzt von wirren Psychogrammen der besprochenen Künstler. Auch in hochseriösen Publikationen finden sich ausufernde enthusiastische Erlebnisaufsätze, massenhaft abgelutschte Metaphern und simulierter Tiefsinn. Die Angleichung von Kritik und PR-Text ist unübersehbar. Und trotz der aufwändigen Lobhudelei bleibt das Sprechen und Schreiben über Kunst unverständlich. Das entscheidende Merkmal ist die Begeisterung der Schreiber oder Sprecher. Texte über Kunst wirken oftmals wie öffentliche Glaubensbekenntnisse. Der hochgestimmte Ton und eine esoterisch wirkende Wortwahl erinnern an religiöse Rituale. Hier kommt es darauf an, sich mit der richtigen Litanei zur heiligen Kunst zu bekennen – auch wenn kaum jemand das Kirchenlatein versteht. Selten wagt jemand nach der Bedeutung des Kunstjargons, nach den Mechanismen und Machtverhältnissen hinter den Fassaden zu fragen. Zu stark wirkt die Scham, es ist den meisten peinlich, etwas nicht verstanden zu haben, von dem alle anderen wie selbstverständlich sprechen. Wer dennoch danach fragt, wird zum Netzbeschmutzer. Schnell wird der Kritiker als Feind des Zeitgenössischen in eine dunkle Ecke gedrängt. Die Denkverbote sind unerbittlich. Auf Kritik von außen reagieren die Akteure des Kunstbetriebs stets empört. »Die Reihen fest geschlossen«, heißt es dann – egal wie zerstritten man gestern noch war. Kritik am Fetisch ›Zeitgenössische Kunst‹ wird von den Bescheidwissern und Möchtegerns des Kunstbetriebs lautstark als ›reaktionär‹, ›undifferenziert‹ oder gar als ›gefährlich‹ gegeißelt. Komisch ist: Die angeblich so aufklärerische, kritische Kunst teilt mächtig aus, kann aber nichts einstecken. Sie wirkt überaus empfindlich, wenn die Qualitätsdiskussion auf die Tagesordnung kommt. Kritik wird dann gern mal als Angriff auf die Freiheit der Kunst interpretiert.

DIE WORTHÜLSEN DER KUNSTKRITIKER

»Kritischer Diskurs«

Jedem Kunstwerk kann mit einiger intellektueller Verrenkung eine sozialkritische oder geschlechterrollenkritische Absicht unterstellt werden. Diese Aufpolsterungstechnik für dürre Kunstwerke wurde durch die Konzeptkunst ins Spiel gebracht. Der abgehobene, nur bedingt realitätsorientierte ›kritische Diskurs‹ der Kunstexperten sichert den Kunststatus der betreffenden Objekte. Bei manchen Werken wirkt das genauso aufgesetzt, als würde man behaupten, der Eunuchengesang bei Modern Talking (kennt die eigentlich noch jemand?) intendiere, die Geschlechterkategorien zu hinterfragen.

»Eine völlig neue Bildsprache/neue ästhetische Dimensionen.«
Bombastvokabeln, die den innovativen Mut und Pioniergeist von Künstlern feiern, die erst noch am Markt durchgesetzt werden müssen.

»Sehgewohnheiten hinterfragen«
Ist Kunst unverständlich, kann auf diese Weise dem Betrachter der Schwarze Peter zugeschoben werden, dessen Sehgewohnheiten verbesserungswürdig sind: In diesem Spiel ist der Betrachter immer der Dumme.

»Tabubrechend!«
Der ästhetische Tabubruch ist inzwischen ein nostalgisches Ritual geworden, das nur noch in der Provinz funktioniert. Heute wird die ästhetische Provokation an staatlichen Akademien als Karrierefach gelehrt. Das Publikum ist hinlänglich daran gewöhnt und hat sich darin eingerichtet. Permanenter Tabubruch ist die Gemütlichkeit unserer Zeit.

»Ironische Kunst«
Oh Gott! Seit fast zwanzig Jahren leben wir schon im Zeitalter der Ironie, wo Ideologien, Moden, Musik- und Kunststile in einer Art Dauer-Mottoparty verwurstet werden. Ironie bedeutet heute überhaupt nichts mehr, höchstens den Willen zur intellektuellen und künstlerischen Beliebigkeit und Unernsthaftigkeit. Ironie ist Feigheit.

»Prozessuales Werk«

Ein dürftiges Kunstwerk wird als Ergebnis eines hochinteressanten und anspruchsvollen Arbeitsprozesses verkauft. Der Berg kreiste und gebar eine Maus.

»Tatarenlegende«

Pseudo-Insider versuchen, Eindruck zu schinden, indem sie bedeutungsvoll Hintergrundwissen über Künstler und biografische Legenden referieren. Sollte Sie jemand mal mit der bereits erwähnten ›Tatarenlegende‹ von Beuys behelligen, lächeln Sie milde, statt die gute Laune durch Besserwisserei kaputt zu machen. Räumen Sie im Gegenzug einfach mit einer anderen Legende auf: Es ist ein gut gehütetes Geheimnis, dass Elvis gar nicht tot ist und auch niemals dick war. Man hat ihn einfach immer aus ungünstigen Winkeln und mit den falschen Objektiven fotografiert.

Wir wollen Ihnen ein besonderes Bonbon der Schwafelkunst nicht vorenthalten. Derartiges lesen und hören Sie massenhaft in Katalogen, Kunstzeitschriften und auf Symposien:

»Jason Rhoades überwältigt und verwirrt den Betrachter mit akkumulativen Installationen über eine ganzheitliche Inbeziehungsetzung, die neben den kognitiven, diskursiven oder intellektuellen Aufnahme- und Wiedererkennungskapazitäten gleichermaßen die psychische Wahrnehmung beansprucht ... die unmittelbare Wiedererkennung der Gegenstände aus dem Alltag ist gekoppelt mit ausufernden intellektuellen, mythologischen, persönlichen Erkenntnismodellen.«

Hier ist jemand am Werk, der Gerümpelberge mit den Augen des Erleuchteten darzustellen versucht. Diese Art von Kunstkritik funktioniert nach dem Motto: »Ich sehe was, was du nicht siehst (und bin deshalb schlauer als du)!« Wenn Sie das anmacht, brauchen Sie dringend ein Abo der Zeitschrift *Texte zur Kunst*!

KUNSTTHERAPIE FÜR ALZHEIMERPATIENTEN – EIN MODELL FÜR UNS ALLE?

Museumsführungen für Alzheimerpatienten sind sicher eine ungewöhnliche Auseinandersetzung mit Kunst. Das MoMA bietet diesen Service seit einiger Zeit an. »Kunst ist derart vieldimensional, dass sie etliche Bereiche des Gehirns berührt, beschädigte ebenso wie intakte«, erklärt ein beteiligter Neurologe. Die Patienten suchen sich im Museumsshop ihre Lieblingspostkarte aus und begeben sich mit der Gruppe zum Original. Die intellektuellen Fähigkeiten der Patienten sind unwiderruflich verloren. Doch über die emotionale Wirkung der Kunstwerke können Gefühle und Assoziationen geweckt werden. Figurative und narrative Motive sind bei diesen Rundgängen am beliebtesten, Kunstwerke mit dramatischen und emotionalen Inhalten werden bevorzugt. Ziel ist es, beim Betrachten der Kunst ein intensives Gefühl auszulösen und die Patienten beim Assoziieren zu unterstützen. Befreit von logischem und funktionalem Denken widmen sich die Teilnehmer von Meet me at MoMA der unvoreingenommenen Kunstbetrachtung. Das Erleben der Kunstwerke und das Sprechen über Kunst tragen dazu bei, die Lebensqualität und Vitalität der Erkrankten zu verbessern – selbst wenn die Patienten nach wenigen Minuten schon alles vergessen haben. Und seien wir ehrlich: Wem ging es nicht schon genauso beim Museumsbesuch – auch ohne Alzheimer?

Zweifellos kann man sich ganz unterschiedlich der Kunst nähern und darüber austauschen. Die meisten Menschen werden sich den Luxus einer vergleichenden kunstwissenschaftlichen Analyse nicht leisten wollen. Man kann sich genauso gut der Kunst nähern, indem man sich seine Favoriten sucht – Werke, die produktiv provozieren und faszinieren. Teilen Sie Ihren persönlichen Zugang zur Kunst mit anderen, erst so wird das erfahrbar, was man durch Sprache nicht erfassen kann. Doch seien Sie wählerisch! Bloß wie?

KAPITEL 5

VORSICHT, SCHLECHTE KUNST!

Der Kunstunterricht ist eine trügerische Oase. Hochtalentierte Bleistift- und Sprühdosenakrobaten leben hier in friedlicher Koexistenz mit hartleibigen Kunstmuffeln, die das Fach nur deshalb als Leistungskurs gewählt haben, weil sie sonst keinen anderen Weg zum Abitur sahen. Dieses Idyll regiert ein gütiger Kunstlehrer, der sich selbst im besten Fall nicht zu ernst nimmt. Er beurteilt die Schülerarbeiten mit Noten zwischen sehr gut und befriedigend, die von den Schülern in der Regel ohne Murren akzeptiert werden. Diejenigen, die es überhaupt nicht können, lassen sich eben von den Klassenbesten ihre Bilder anfertigen. Das kostet dann zwar einen empfindlichen Teil des Taschengeldes, aber die Noten stimmen.

Im Kunstunterricht geht es nicht um harte Fakten. Vermeintlich. Doch Lehrer wie Schüler legen einen Qualitätsmaßstab an, der zumeist an der naturgetreuen Wiedergabe der Realität orientiert ist. In der Klasse gäbe es einen Aufstand, würde der Lehrer ein fleißig erstelltes, realistisches Selbstporträt mit einer schlechten Note abwerten, weil ihm Originalität und Lebendigkeit abgingen. So kommt es, dass Schulabgänger die kompliziertesten Kurvendiskussionen führen können, Deutsch in allen Rechtschreibvarianten beherrschen und wissen, dass die Erde keine Scheibe ist. Zeitgenössische Kunst hingegen halten sie für einen kulturellen Betriebsunfall – ihr ganzes Leben lang. Der gutgemeinte Rat, man müsse das ›Sehen lernen‹, um moderne Kunst zu begreifen, hilft ihnen wenig.

Nachdem wir Ihnen die wichtigsten künstlerischen Gattungen und die Mechanismen des Kunstbetriebs vorgestellt haben und Sie jetzt wissen, wie man Performance und Ausstellungsbesuch überlebt und ein Gespräch über Kunst durchsteht, bleibt noch das Problem, wie sich gute von schlechter Kunst unterscheiden lässt. Eine schnelle Antwort auf diese Frage, die wie eine mathematische Formel auswendig gelernt werden könnte, gibt es leider nicht. Manche Kunstliebhaber vertreten ernsthaft die Meinung, die Fähigkeit zum Kunstverständnis sei ein angeborenes Talent, das nur wenige Menschen besäßen. Entweder hätte man diese bestimmte Art zu sehen ererbt oder das entsprechende Gen sei nicht vorhanden – selbstgefälliger kann man das Qualitätsproblem in der modernen Kunst nicht ignorieren. Im Übrigen sind Sie in bester Gesellschaft, wenn Sie beim Anblick mancher Kunstwerke am Verstand der verantwortlichen Künstler zweifeln. Ephraim Kishon, seinerzeit ein beliebter Satiriker und immerhin ein studierter Kunsthistoriker, ließ sich einmal zu dem Kommentar hinreißen: »Die Schönheit ist für die heutige Kunst gestorben ... Die Gegenwart gehört der Mülldeponie.« Eine andere Ikone der Literatur, Hans Magnus Enzensberger, fühlte sich angesichts mancher Arbeiten auf dem Kunstmarkt »an die Hinterlassenschaften schlecht ausgebildeter Klempner« erinnert. Wer wagt da noch zu behaupten, die ungezählten Kunst-Verzweifelten stammten allesamt aus dem ›bildungsfernen Milieu‹?

DIE ZÄHE SOSSE DES ZEITGESCHMACKS

Ende der 1940er Jahre suchte ein New Yorker Manager ein skurriles Geburtstagsgeschenk für seine Frau. So wie man in Spaßartikelshops Plüschhandschellen oder den ›Traummann zum Selberbacken‹ kauft, erwarb dieser Mann ein Gemälde von Jackson Pollock für schlappe 250 Dollar. Damals war die Galeristin Betty Parsons froh, überhaupt etwas von ihren Künstlern des Abstrakten Expressionismus zu verkaufen. Die Motivation des Käufers wird ihr egal gewesen sein. Ob der Witz des Managers gut ankam, entzieht sich unserer Kenntnis. Immerhin hielt das Paar es einige Jahrzehnte mit dem Pollock aus. Später machten die beiden mit dem Verkauf des Bildes ein Vermögen. Manchmal scheint es sich zu lohnen, seinem Geschmack zu misstrauen.

Man möchte den Begriff des Geschmacks am liebsten ignorieren, weil er so schwammig und undefinierbar ist. Aber im Alltag und in

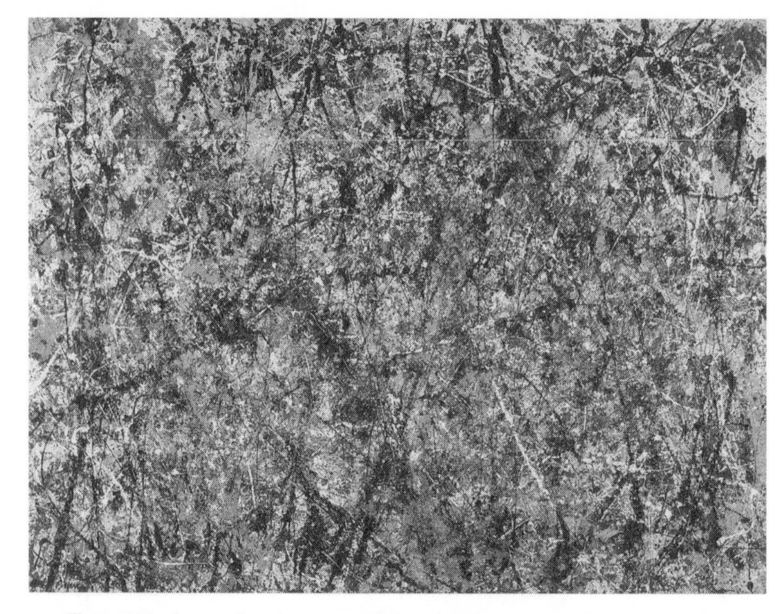

■ Bei Fälschern sah es immer nach Spaghetti aus: *Lavender Mist: Number 1*, 1950, gilt als eines der schönsten und atmosphärischsten Gemälde von Jackson Pollock. Der Meister (Spitzname ›Jack the Dripper‹) hinterließ aber auch gern unfälschbare Handabdrücke auf den riesigen Leinwänden

der Umgangssprache ist die ›Geschmackssache‹ allgegenwärtig: Wir lästern über Bekannte, die sich geschmacklos anziehen. Wir machen uns über Freunde lustig, die mit Anfang Dreißig noch im hässlichen Mobiliar ihrer Kindheit wohnen. Sie stören sich nicht mal an den Aufklebern, die die Türen des Kleiderschrankes zieren, und wundern sich, warum sie keine Freundin haben. Wir neiden Prominenten, die in Hochglanzmagazinen mit Homestorys geehrt werden, ihr exquisites Interieur – ›Das muss ein Innenarchitekt gestaltet haben, so guten Geschmack haben die doch niemals von allein!‹ Über moderne Kunst können wir oft in Sekundenschnelle sagen, dass uns etwas nicht gefällt, ohne es erläutern zu können. Es entspricht ganz offensichtlich nicht unserem Geschmack. Es ist eine fiese Volte notorischer Kunstpädagogen, wenn sie Ablehnung beim Publikum immer auf Unkenntnis und mangelndes Verstehen zurückführen. Man kann schließlich auch Dinge nicht mögen, die man sehr gut versteht!

Die meisten Menschen, die nicht viel mit Kunst am Hut haben, spricht zumindest figurative Malerei an. Sie ist die zugänglichste Darstellungsweise der Bildenden Kunst. Das russische Künstlerduo Komar & Melamid erforschte einige Jahre lang den Geschmack des Publikums. Sie machten weltweit Umfragen, welche Art von Bildern in den jeweiligen Ländern am besten gefallen. Sie fragten nach Lieblingsfarben, Größe, Format, Details, ob und welche Tiere gewünscht sind, ob lieber Kurven oder Ecken zu sehen sein sollen und einiges mehr. Auf der Basis der Umfrageergebnisse malten die beiden dann das jeweils beliebteste und das unbeliebteste Bild. Es zeigte sich, dass sich die Nationen in ihren Geschmackstendenzen ziemlich ähnlich sind und wie unappetitlich dieser Einheitsbrei ist. Aber heißt das, es lohne sich nicht, über Kunst zu streiten? Jedem Tierchen sein Pläsierchen? Genau das Gegenteil ist der Fall. Denn nur über den offenen Streit lässt sich die Frage nach der Qualität von der ganzen Geschmackssoße befreien. Es geht also darum, dem persönlichen Geschmack erst einmal zu misstrauen, ihn zu entwickeln und zu verfeinern – und das möglichst ungestört vom Zeitgeist, den Trendkünstler und Trendgaleristen, Designer und Modeschöpfer ästhetisch verwursten.

DIE K-FRAGE

Um die Qualität eines Künstlers und seines Werks zu ermitteln, gibt es viele Wege und keinen. Manche behelfen sich damit, den sozialen Status eines Künstlers zu erfassen, während sie nur einen flüchtigen Blick auf die Werke richten. Man kann leicht in Erfahrung bringen, bei wem der Künstler studiert hat, welche und wie viele Stipendien er abgesahnt hat, von welchem Kaliber sein Galerist ist und wie erlesen seine Ausstellungsorte sind. Dann bekommen Sie zwar eine Ahnung davon, wie hoch ein Künstler am Markt dotiert ist. Über die Qualität der Arbeiten erfahren Sie dabei allerdings wenig.

Eine weitere Möglichkeit wäre, jede künstlerische Arbeit nach einer langen Checkliste durchzukauen. Ähnlich wie die Kunstwissenschaftler fragen Sie dann nach inhaltlicher Mehrdeutigkeit, konzeptueller Raffinesse, der Brauchbarkeit zur Herstellung historischer Bezüge oder dem Innovationsreichtum des Künstlers. Das sind zumindest ein paar Kriterien, die sich gehäuft bei guter und seltener bei schlechter Kunst finden. Es schadet nicht, diese Liste im Hinterkopf zu haben, aber ohne einen gewissen Erfahrungsschatz kann man wohl kaum den historischen Wert eines Werks ermessen. Jeder ambitionierte Fußballzuschauer wird das bestätigen. Wer die Dramatik nicht erkennt, wenn der Hamburger Sport-Verein auf einem Abstiegsplatz der Ersten Bundesliga steht, und nur schnodderig kommentiert »Jeder steigt mal ab!« – dem fehlt schlicht das historische Wissen. Denn der HSV ist die einzige Gründungsmannschaft der Bundesliga, die noch nie abgestiegen ist.

Es hat keinen Sinn, sich auf die alte Debatte einzulassen: »Ist das Kunst oder nicht?« Der Kampf ist schon längst vorbei: Die Avantgarden des 20. Jahrhunderts haben den Kunstbegriff schon so stark bearbeitet, dass er ausfranst wie ein Teppich von Ikea. Seien Sie mal großzügig! Alles, was im institutionellen Rahmen als Kunst ausgestellt wird, ist es auch: Das reicht von den Werken des hutzeligen Großonkels, der mit erstaunlicher Akribie dem amerikanischen Fernsehmaler Bob Ross nacheifert, über künstlerisch arrangierte Haufen Unterwäsche bis zur Kunststudentin, die sich – im Museum exponiert – ihren sexuellen Fantasien widmet. Es ist schon bemerkenswert, wie viele Leute, die bei Regenwetter erklären: »Es gibt kein schlechtes Wetter, es gibt nur falsche Kleidung«, aber sonst mit Philosophie nichts am Hut haben, bei der K-Frage immer sehr energisch werden. Als sei Kunst die eigene Mutter, von der jedes Unheil abzuwenden oberstes Gebot ist. Machen wir doch mal ein Gedankenexperiment, um zu sehen, wie beispielsweise aus einem Schaf ein Kunstwerk wird:

EINE BEHAUPTUNG

Auf der Straße erzählt Ihnen jemand, er habe gerade ein Schaf in ein mit Formaldehyd gefülltes Aquarium eingelegt und das Ganze zu Kunst erklärt. Sie überraschen ihn und akzeptieren seine Behauptung – im Zweifel für den Angeklagten. Wenn der Künstler keine Galerie findet, die das Ding ausstellen will, dann wird der Kunststatus des Objekts eine ›Behauptung‹ bleiben. Dann trösten Sie ihn und geben ihm ein Bier aus.

EINE VEREINBARUNG

Vielleicht macht der Künstler aber mit Kollegen eine Ausstellung, die von seinem Lehrer, selbst ein arrivierter Künstler mit ein paar guten Geschäftsverbindungen, protegiert wird. Irgendein leicht reizbarer Besucher kann das Schaf nicht als Kunst akzeptieren und sabotiert in einem unbeobachteten Moment das Werk. Die Presse wird aufmerksam. Sobald der Künstler eine Galerie findet, die im Idealfall bereits einen Namen und eine Kartei voller potenter Sammler hat, gibt es schon mal so was wie eine ›Vereinbarung‹ darüber, dass es sich bei dem eingelegten Schaf um Kunst handelt. Wenn Sie jetzt in eine Ausstellung des Künstlers gehen und meckern, das sei doch gar keine Kunst, dann sind Sie zwar in den Augen der Kunstwelt ein armer Trottel, aber immer noch nützlich, indem Sie die Aufmerksamkeit an dem Künstler fördern. Am besten, Sie provozieren einen Polizeieinsatz – keine halben Sachen!

DAS ENDE EINES TRAUMS

Wenn der Galerist es über Jahre nicht schafft, auch nur ein Werk des Schafkünstlers loszuwerden – nebenbei erwähnt sind dann ernste Zweifel an der Geschäftstüchtigkeit des Galeristen angebracht –, wird der Künstler für den Galeristen zur Last. Entweder wird er noch pro forma in der Galerie geführt, bekommt aber nie wieder eine Ausstellung, oder er wird vor die Tür gesetzt. Im Zweifelsfall hat der Galerist zu Beginn der Zusammenarbeit ein Werk gekauft. Das kann für den Künstler sehr motivierend sein. Mit der Bezahlung des Kunstwerks hat der Galerist sich Zeit gelassen, so dass er es nun wieder zurückgeben kann, und der Künstler hat jemanden, auf den er sauer sein kann.

EIN VERTRAG

Das andere Szenario: Gleich bei der ersten Ausstellung des Künstlers gehen alle Werke an renommierte Sammler raus, die auch direkt bezahlen. Nun gibt es bereits einen ›Vertrag‹ darüber, dass das badende Schaf ein Kunstwerk ist. Sobald das Schaf oder ein anderes Werk des Künstlers in einer öffentlichen Sammlung auftaucht, spitzen die ersten Kunstgeschichtsstudenten die Bleistifte, denn sie sind immer auf der Suche nach einem unverbrauchten Thema für die Magister- oder Doktorarbeit.

DAS GESETZ

Wenn sich das Schaf also nicht als Eintagsfliege entpuppt und die Preisentwicklung des Künstlers über zwei Dekaden einigermaßen stabil bleibt, dann ist der Kunststatus des Tieres endgültig ›Gesetz‹ – selbst wenn das Werk durch einen dummen Zufall zerstört werden sollte.

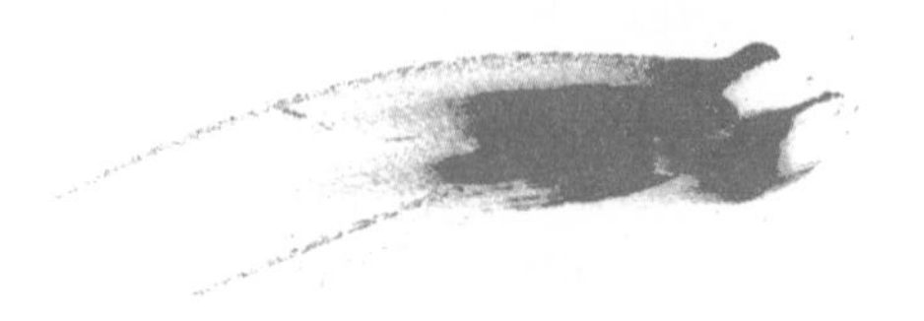

KUNST FÜR DIE AUGEN ODER FÜR DEN VERSTAND?

Die folgenden Indizien für schlechte Kunst sind kein Ersatz für eine detaillierte Analyse. Sie können die Frage nach der künstlerischen Qualität nicht erschöpfend beantworten. Und doch geben sie als praktisches Erste-Hilfe-Set wichtige Hinweise, wie man im Ernstfall erkennen kann: Vorsicht, schlechte Kunst!

Wir erleichtern uns den Zugang zur Kunst, wenn wir erst einmal ermitteln, zu welcher Generallinie moderner Kunst ein Werk gehört. Handelt es sich um sinnlich oder intellektuell angelegte Kunst? Viele Werke beinhalten natürlich Konzentrationen beider Zutaten, doch meistens bestimmt eine von beiden die Tendenz. Der unvermeidliche Picasso gilt beispielsweise als Meister einer Kunst, die sinnlich überwältigen will – obwohl seine kubistischen Massaker anfangs auf Unverständnis stießen. In jener Schaffensphase stellte er beispielsweise ein junges Modell in einem Gemälde so dar, dass die Ausstellungsbesucher entsetzt davor ausriefen: »Ein Schwein in Kubik!« Das Jonglieren mit künstlerischen Theorien überließ Picasso übrigens anderen. Für verbale Manifestationen des Kubismus – eine Populärformel dieser Kunst – war er nicht zu haben. Sinnliche Kunst will überwältigen, will Augenfutter liefern, blenden, stören, verwundern und dabei positive oder negative Gefühle auslösen. Bei so viel Theaterdonner geht die Frage nach der Qualität schnell unter.

Andererseits werden wir häufig mit Kunst konfrontiert, die direkt den Intellekt anspricht. Dabei kann auch das Betrachten selbst oder die Beziehung des Betrachters zum Kunstwerk thematisiert werden. Abgesehen von den oft floskelhaften Begleittexten zu dieser Kunst, in denen vom »Hinterfragen von Wahrnehmungsgewohnheiten« die Rede ist, fordert die Betrachtung eine intellektuelle Leistung ein. Wie Wahrnehmung funktioniert, muss man sich eben erst einmal bewusst machen. Der Urahn dieser Kunst ist Marcel Duchamp. Er

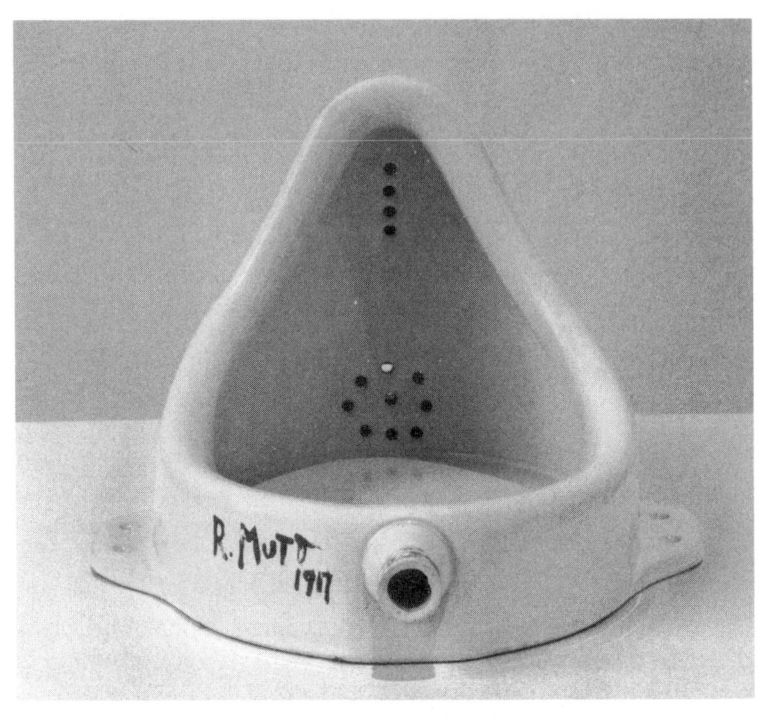

■ Durch einen Trick in die Ausstellung gemogelt –
Marcel Duchamp, *Fountain*, 1917

wollte den Geschmack und den Kult des Genialischen in der Kunst überwinden und wurde zum ersten Konzeptkünstler. Sein Konzept bestand vor allem darin, sich selbst zu widersprechen, um eben nicht dem eigenen Geschmack zu folgen. In einer kurzen Schaffensphase zwischen 1912 und Anfang der 1920er Jahre erfand Duchamp das Prinzip der ›Ready Mades‹, industriell gefertigte Gegenstände wie Flaschentrockner oder Schneeschaufeln, die er als eigene Kunstwerke ausstellte. Wie war es 1917 überhaupt möglich, Alltagsgegenstände in Kunstausstellungen einzuschmuggeln? Jede Jury und jeder Künstler hätte sich gegen diese Provokation gewehrt. Der listige Duchamp war damals Mitglied einer New Yorker Künstlervereinigung, zu deren

Ausstellungen jedes Mitglied etwas beisteuern durfte – ganz ohne Jury und Regeln. Niemand konnte also verhindern, dass Duchamp ein auf die Rückwand gekipptes und signiertes Urinal als Kunst präsentierte. Die empörten Kollegen erreichten immerhin, dass ein Vorhang das Objekt von den anderen Ausstellungsexponaten trennte. So wurde *Fountain* ein Klassiker in einer langen Reihe von zum Teil wohlkalkulierten Missverständnissen der Kunstbetrachtung. Es ist noch heute ein diebischer Spaß zuzusehen, wenn Ausstellungsbesucher davor andächtig grübeln, als stünden sie vor einer Skulptur von Auguste Rodin. Besser kann keine Szene Duchamps Überzeugung illustrieren: »Die Betrachter machen die Kunst.« Duchamp hat sich damit zum Liebling der Theoretiker gemacht. Generationen von Kunsthistorikern versuchten, aus ihm schlau zu werden. Vor einiger Zeit entdeckten die Kunsthistoriker, dass er niemals ein Massenprodukt unverändert als Kunstwerk deklariert hat, sondern die Fabrikate von ihm auf absurde Weise verändert beziehungsweise erfunden wurden. Damit hat Duchamp nicht nur dem Publikum einen Streich gespielt, sondern auch der Kunstwelt selbst. Banales zur Kunst zu erklären ist also ein alter Hut. Immer wieder findet sich jemand, der die Kunst vom Olymp holen will, wo sie sich doch schon lange nicht mehr befindet. Man macht das vermeintlich Erhabene lächerlich, spottet über die Kunsttheorien. Und doch landen diese Harlekine der Kunst selbst oftmals auf dem Olymp.

AUCH EIN ›GENIE‹ IST NUR EIN MENSCH

Weil Künstler auch nur Menschen sind, haben Künstler auch Krisen. Deshalb ist übertriebene Ehrfurcht vor großen Namen fehl am Platz. Bruce Nauman, der seit Jahren zu den erfolgreichsten Künstlern gehört, beschrieb den manchmal quälenden Schöpfungsakt so: »Leider gibt es ... immer wieder lange Phasen, in denen ich nichts machen kann, weil mir nichts einfällt. Irgendwann fange ich dann einfach an, irgendwas zu machen, ganz egal ob mit einer guten Idee, schlechten Idee, ohne Idee. Ich mache einfach etwas aus dem, was so herumliegt. Und gerade diese Dinge, die aus einer Sprachlosigkeit entstehen, aus Verzweiflung heraus, sind oft die wichtigsten.« Der britische Maler Francis Bacon schwankte zwischen großer Impulsivität – manchmal zerstörte der unzufriedene Künstler ein Bild nach dem anderen – und einer beachtlichen Gleichgültigkeit. 1946 erwarb die Sammlerin Erica Brausen ein Werk von ihm, woraufhin sich der Spielsüchtige nach Monte Carlo aufmachte, um dort das frisch verdiente Geld zu verzocken. Zum Malen kam er natürlich nicht. Für Bacon war es ein großes Glück, dass ihm seine Galerie Marlborough Fine Art bereits in den 1950er Jahren ein monatliches Honorar überwies – ein damals völlig unübliches Geschäft. Trotzdem war Bacon häufig blank.

Psychische Krisen schlagen sich mitunter sichtbar im künstlerischen Werk nieder – es gibt Qualitätseinbrüche und abrupte Stilwechsel. Nur wenige Stars können auch daraus Kapital schlagen: Gerhard Richters grau-monochrome Bilder waren nach eigenem Bekunden Anfang der 1970er Jahre Ausdruck einer Schaffenskrise. Aus der irritierenden Sprunghaftigkeit wurde bald eine Masche. Es gibt Kritiker, die in Richters Flexibilität System erkennen: Er wechsele alle fünf Jahre den Stil, und die Sammler akzeptieren es, weil Richter schon so berühmt sei.

Picasso machte seinerzeit fast einen Kult daraus, seinen Nacheiferern durch rechtzeitige Stilwechsel immer einen Schritt voraus zu sein. Am Lebensende blieb er bei dem Thema ›Maler und Modell‹ hängen. Dieses Sujet wusste allerdings niemand besser zu inszenieren als Picassos großer Konkurrent Henri Matisse. Als der Spanier von den jüngeren Künstlerkollegen schon nicht mehr ernst genommen wurde, entfaltete Matisses Werk bei Motherwell, Rothko und anderen erst seinen ganzen Einfluss. In den 1950ern pilgerten sie in die

Bignou Gallery in New York, um den Farbauftrag bei dessen Bild *Das rote Atelier* von 1911 zu studieren.

Bittstellende Galeristen müssen das Atelier des späten Picasso regelrecht belagert haben, um am Profit des Künstlers teilzuhaben. Der agile Meister ließ sich nicht lange bitten und gab ihnen, wonach sie verlangten. Einen ›echten Picasso‹ zu besitzen ist deshalb heute kein Problem. Auf Auktionen kommen Zeichnungen schon ab 3000 Euro unter den Hammer. Wenn es Ihr Traum ist, beim nächsten Skatabend mit einem Picasso aufzutrumpfen, bitte schön. In dieser Preisklasse müssen Sie nicht mal Ihre Hausratversicherung aufstocken. Halten wir also fest: Auch angesehene Künstler, die längst über jeden Zweifel erhaben sind, können mal einen miesen Tag haben, ein schlechtes Bild malen oder über einen längeren Zeitabschnitt auf qualitativen Tiefflug gehen. Nicht nur aus diesem Grund sollte man sich immer wieder von der Aura eines berühmten Künstlernamens freimachen und jede einzelne Arbeit ohne übertriebene Ehrfurcht prüfen. Jedes Kunstwerk, auch wenn es Bestandteil von Werkgruppen oder thematischen Schwerpunkten eines Künstlers ist, steht und kämpft für sich allein.

KUNSTGIMMICKS – VON DER WISSENSCHAFT GEBORGT

Künstler durchforsten die Wissenschaften, die Werbung oder die Politik nach Anhaltspunkten für die eigene Arbeit oder nach Ausdrucksmöglichkeiten in unverbrauchten Medien. Das bedeutet nicht automatisch, dass diese Kunst zugleich innovativ ist. Sie ist zunächst einmal nur aktuell. Das wird im Rauschen des Kunstbetriebs aber gern übersehen, weil das Neue immer eine Nachricht wert ist. In der Interneteuphorie der frühen 1990er Jahre hieß es, nun sei auch eine neue Kunstepoche angebrochen. Doch seitdem hat man kaum noch etwas von der revolutionären Netzkunst gehört. Im Vergleich zur Malerei ist sie ein Zwerg geblieben. Aber wie sollte es auch anders sein? Netzkunst kann man schwer sammeln und Geld verdient man damit schon gar nicht. Die wahre ›virtuelle Kunst‹ im Internet besteht heute darin, den Leuten das Geld aus der Tasche zu ziehen, ohne dass sie es merken. Auf Spielportalen wie *Second Life* kann man als Teilnehmer seine Spielfigur mit Nike-Turnschuhen ausstatten. Für die virtuellen Sneakers bezahlt man dann per Kreditkarte. Mit der echten natürlich.

Besonders kritisch sollte man sein, wenn sich Künstler wissenschaftlicher Verfahren bedienen. Nicht selten werden auch optische Täuschungen oder Erkenntnisse aus der Verhaltensforschung zu tragenden Elementen eines Kunstwerks. Gern wird auch bei Environments auf die Raumgestaltungen des Event-Designs (Deko, Lichtregie, Spiele) zurückgegriffen. Zumindest ist der Verdacht legitim, dass sich hinter den vielen abgefeuerten Blendraketen ein künstlerischer Blindgänger versteckt. Wie nimmt sich die Idee des Künstlers gegenüber seinen geborgten Mitteln aus? Ist da eine substanzielle Idee oder erliegt der Urheber der künstlerischen Arbeit voll und ganz dem geborgten technischen Effekt, so wie wir Betrachter ihm erliegen sollen? Im Sog des Neuen scheuen selbst die Insider der Kunstwelt nicht vor echten Fehlleistungen zurück: »Etwas Vergleichbares habe ich noch nie gesehen« wird zum entscheidenden Auswahlkriterium und gleichzeitig zu einem närrischen Kommentar, denn es reduziert Kunst auf den schlichten Neuigkeitswert. Mit Qualität muss das nichts zu tun haben.

STARK ANFANGEN UND SCHNELL NACHLASSEN – DIE KUNST, SICH SELBST ZU KOPIEREN

Den Chansonier Gilbert Bécaud, seinerzeit auch bekannt als ›Monsieur 100.000 Volt‹, peinigten seine Fans mit dem Wunsch, immer und immer wieder den einen großen Hit zu singen, den er selbst längst hasste – *Nathalie*. Für den Sänger wurde *Nathalie* schon zu Lebzeiten der Vorhof zur Hölle. Für einen bildenden Künstler kann es ebenfalls eine Last sein, dieses eine besondere Bild gemalt zu haben. Als Maler und Bildhauer noch nach Aufträgen arbeiteten, war es sogar die Regel, dass sie ihre ›Greatest Hits‹ in Serie fertigten. Auch im 19. Jahrhundert reagierten Künstler so auf große Nachfrage. Arnold Böcklin, seinerzeit ein echter Malerstar, produzierte fünf fast identische Versionen seiner berühmten *Toteninsel*. Der norwegische Expressionist Edvard Munch entließ seine Ikone, den *Schrei*, mehrmals von der Staffelei in die Welt, und Jackson Pollock musste bekanntlich in Fließbandproduktion drippen und droppen. Die *Toteninsel* wird nicht schlechter, weil es sie in einigen Versionen gibt. Selbst wenn nur ein einziges Werk diesen besonderen Status erreicht, ist das mehr, als die meisten Künstler je schaffen. Auch Théodore Géricault mit seinem einzigen bedeutsamen Bild *Szene eines Schiffbruchs*, besser bekannt als *Das Floß der Medusa* von 1819, ist so einer. Für manchen bildenden Künstler war es fast schon ein Fluch, nach dem großen Hit für immer in dessen Schatten zu bleiben. Im Gegensatz dazu bleibt für Musiker der Trost, dass ihr Hit, wenn er erst mal ein Evergreen ist und von den Radiostationen dieser Welt hoch- und runtergenudelt wird, den Lebensabend in Wohlstand sichert. Die GEMA lässt grüßen.

Galeristen und Fachkundige können nie mit Bestimmtheit sagen, ob ein vielversprechender Künstler die Erwartungen auf Dauer erfüllen kann oder ob seine Quelle künstlerischer Inspiration versiegt und er irgendwann beginnt, sich selbst zu kopieren – vielleicht sogar, ohne es selbst zu wissen. Der Grad zwischen künstlerischer Vision und routiniertem persönlichem Stil ist äußerst schmal. Im besten Fall hat sich der Künstler dann bereits etabliert und die Preise bleiben stabil, auch wenn die Kunst des Meisters auf kleiner Flamme kocht. Das kommt in den besten Familien vor: Georg Baselitz machte sich in den 1960er Jahren einen Namen, indem er mit einem Gemälde einen Polizeieinsatz provozierte. Das Bild *Die lange Nacht im Eimer* zeigt einen Jungen, der in einen Eimer onaniert. Bald darauf hatte er die so einfache wie lukrative Idee, seine Motive auf den Kopf zu stellen. Den Kunsthistorikern wurde in die Notizhefte diktiert, es handelte sich um eine raffinierte Strategie zur ›Rettung‹ der gegenstandsbezogenen Malerei. Vielleicht hatte Baselitz aber einfach nur einen gängigen Witz über abstrakte Kunst im Kopf: Wie herum hänge ich das Bild auf, wenn der Maler keinen diskreten Hinweis gibt – zum Beispiel mit der Signatur? In jedem Fall war für Baselitz ein Markenzeichen gefunden. Mittlerweile hat er begonnen, sein Frühwerk zu kopieren und nennt das – voll auf der Höhe der Zeit – »remix«. Sein Junge, der sich selbst befriedigt, ist natürlich auch dabei.

Aber da sind noch andere Gründe, warum Künstler sich selbst kopieren. Es gibt Kritiker, die behaupten, man könne nicht sein Leben lang monochrom malen, seriell komponieren, Leinwände durchlöchern oder vernageln, ohne geistig beschränkt zu wirken. Doch an den Kunstakademien wird wie eh und je Beharrlichkeit gelehrt: Wer lange genug bohrt, stößt irgendwann auf Öl. Die Arbeit bekomme mit der entsprechenden Hartnäckigkeit eben eine ganz bestimmte Qualität, heißt es. Aber vielleicht besteht die Qualität nur in der Wiedererkennbarkeit, was auf viele orientierungslose Kunstbetrachter schon wohltuend wirkt. Sie sind froh, im unendlichen Kunstkosmos irgendetwas wiederzuerkennen. Wenn Sie sich einmal ausführlicher mit dem Werk eines Künstlers beschäftigen, prüfen Sie, ob er seinen alten Rezepten hinterherläuft oder ob er noch für eine Überraschung gut ist!

TIL
NA WENN DAS
SO IST...
DANN WÜNSCH ICH
IHNEN NOCH
EINE SCHÖNE
WEITERFAHRT
HERR BASELITZ
POLIZEI

IHRE BESTEN JAHRE

Erfolgreiche Künstler werden immer größer, aber selten besser. In vielen Fällen wird das Frühwerk eines Künstlers höher geschätzt als sein Spätwerk. Warum? Im Idealfall steht zu Beginn der Karriere die Suche nach einem eigenen Weg. Die Künstler versuchen, sich auf einem stark umkämpften Markt Aufmerksamkeit zu erstreiten. Die Position, die sie sich mit Disziplin, Talent und Geschäftstüchtigkeit erarbeiten, ist vergleichbar einer Produktmarke, die mit viel Aufwand aufgebaut werden muss, bis die Konsumenten dieser Marke ihr Vertrauen schenken. Diesem Ziel ordnen die jungen Künstler in der Regel alles unter: Freunde, Familie, Freizeit, Wohlbefinden. Wenn sie es ›geschafft‹ haben – was wohlgemerkt immer nur ein relativer Status ist –, stehen sie unter einem enormen Druck. Weltweit müssen sie Ausstellungsorte bespielen, die langen Listen der Kaufwilligen abarbeiten, Aufträge für Kunst am Bau akquirieren und dann ruft – zu allem Überfluss – noch Dubai an. Viele Künstler halten dem Druck nicht mehr stand und produzieren Kunstmarkt-Kunst, indem sie ihre größten Hits wieder und wieder variieren.

Das Alterswerk vieler Künstler ist meistens schwächer als das der ›besten Jahre‹. Auch hier dient Picasso als Paradebeispiel: Allein in den Jahren 1970 bis 1972 entstanden über 200 Gemälde. Der Altmeister behandelte die Leinwand wie einen Skizzenblock: Ohne Vorzeichnung, Skizzen, Grundierungen schmierte und tupfte der Künstler die Farben zentimeterdick auf die Leinwand. Unentwirrbare Knäuel von Körpern und monströsen Geschlechtsorganen waren auf den Bildern zu sehen. Anhänger wie Kritiker Picassos waren entsetzt, viele sahen die Gelegenheit, den Übervater aufs Altenteil zu schieben. Der Sammler Douglas Cooper sprach sogar von »unzusammenhängenden Schmierereien, ausgeführt von einem rasenden Greis im Vorzimmer des Todes« – harte Worte für einen Künstler, der sein Ende kommen sieht und das Malen als verzweifelten Vitalitätsbeweis empfindet.

■ Die nicht enden wollende Präsenz des Jahrhundertkünstlers – die Kollegen hassten ihn dafür: Pablo Picasso, Radierung von 1971

Dann gibt es allerdings auch Künstler, die weder langsam schwächer wurden noch langsam heranreiften, sondern sich bewusst zu einem radikalen Stilwandel entschlossen. Damit versuchten sie sich an einem riskanten Unternehmen, das von der Kunstkritik und vom Kunstmarkt oftmals vernichtend kommentiert wurde: Der italienische Surrealist Giorgio de Chirico, bekannt für seine metaphysischen Stadtlandschaften, widmete sich im Alter der naturalistischen, biederen Genremalerei. Kasimir Malewitsch, russischer Avantgardist des Suprematismus, kehrte im Stalinismus zur Gegenständlichkeit zurück, und Ernst Ludwig Kirchner versuchte in seiner zweiten Lebenshälfte seiner Festlegung als Expressionist zu entgehen, indem er sich der abstrakten Malerei annäherte. Man mag hier Opportunismus erkennen, den verzweifelten Versuch, sich an neue Tendenzen anzuhängen. Andererseits versuchten diese Künstler, der Falle zu entkommen, sich immer nur noch selbst zu kopieren. Chris Burden ist ein Beispiel für jene Künstler, die selbst erkennen, wenn die Zeit für einen riskanten Wechsel gekommen ist. Er startete als Performancekünstler, heute ist er Bildhauer.

SOLIDE ZITATE – DÜRRE EIGENE GEDANKEN

In der zeitgenössischen Kunst wird ausgiebig zitiert. So mancher Theoretiker beklagt, dass die Künstler den Stilfundus der Moderne nach Belieben plündern. Wer geschickt zitiert oder schlau klaut, kann trotzdem viel Anerkennung von den Kunstexperten ernten. Denn gern wird Abkupfern mit dem Knüpfen historischer Bezüge verwechselt. Solche Bezüge zu entdecken oder gar selbst zu kreieren ist ein beliebter Spaß der Kenner.

Rätselspaß für Kenner bietet zum Beispiel der Amerikaner Glenn Brown. Seine Malerei wirkt wie eine obskure Mischung aus Hyperrealität und abstrakten Farbarrangements. Die entfernt historisch anmutenden Porträts sind von Farbschlieren geprägt, wirken organisch, manchmal gar wie faulendes Fleisch. Er plündert die Bilder Alter Meister ebenso wie bekannte Kunstwerke jüngerer Zeit: »Ich bin ein bisschen wie Dr. Frankenstein, denn ich baue meine Bilder aus Überresten oder toten Bestandteilen von Arbeiten anderer Künstler ...«

Manchmal ist es nicht leicht zu erkennen, ob ein Künstler qualitativ über das Zitat hinauskommt oder ob er vom Zitat zehrt wie ein dehydrierter Sportler vom Tropf. Von mächtigen Paten zehrt die Malerin Tomma Abts, ein neuer Komet am Kunstmarkthimmel. Mit ihren am historischen Konstruktivismus orientierten Kabinettstückchen lehnt sie sich so geschmeidig an Vorbilder aus den 1920er Jahren an, dass ihre kleinen Werke im zeitgenössischen Getümmel bunter, figürlicher Malerei fast schon exotisch wirken. Nur vor diesem kontrastierenden Hintergrund ist ihr Erfolg zu verstehen. 2006 gewann sie mit ihren Arbeiten, die in der Presse als ostdeutsche Tapetenmuster verspottet wurden, sogar den renommierten Turner Prize. Allerdings wurde gemunkelt, dass die Jury diesmal eine Auswahl möglichst langweiliger Kandidaten für den Wettbewerb zusammenstellte, um endlich aus der sensationsgeilen Klatschpresse herauszukommen – für die Finalisten also eine zweifelhafte Ehre. Die Hoffnung der Jury platzte allerdings schnell, denn Abts Konkurrentin Rebecca Warren präsentierte Behälter mit Schmutz aus dem Atelier und von der Straße. Schon hatte die Boulevardpresse wieder angebissen: »RUBBISH ... but is it Art?«

Unvermeidlich ist an dieser Stelle auch der Performancekünstler Jonathan Meese. Er zapft ebenfalls an alten Quellen. Ende der 1990er Jahre reüssierte der Mann aus Hamburgs Speckgürtel mit überladenen Interieurs, die wie die Zimmer verwirrter Jugendlicher aussahen. Mit verbalen Kraftmeiereien und zeichenhaften Zitaten von Despoten aller Art wirkt sein »Welttheater«, wie es der Sammler Harald Falckenberg bezeichnet, als entspringe es der unverdauten Nietzsche-Lektüre eines Abiturienten.

Ein ähnliches Kunsttheater mit Mythenmix und Wortkanonaden erzeugte einst der Art-Brut-Künstler August Walla. Art Brut – rohe Kunst – ist eine gängige Bezeichnung für die Kunst psychisch kranker Menschen. August Walla, der 2001 im Alter von 65 Jahren starb, war schizophren und lebte den Großteil seines Lebens in der psychiatrischen Klinik Gugging bei Wien. Bäume und Häuser des Ortes waren durch Wallas Bemalungen und Beschriftungen zu Bestandteilen seiner Welt geworden, sein legendäres Zimmer durch Wandmalereien zur Kapelle seiner privaten Götter. Er schuf ein bizarres System aus Zeichen und eigenen Wortprägungen. August Wallas Kunst wird seit den späten 1970er Jahren zu ordentlichen

Preisen gehandelt. Dass sich hier eine Inspirationsquelle für Meeses wirres Spiel mit Zeichen, Worten und herbeizitierten Göttern und Helden bot, liegt auf der Hand. So wurde aus dem einstig ruhigen Mustermann an der Kunstakademie der auf verrückt machende ›Großkünstler‹.

Ein anderer Held der Zitierkunst war der Bad Guy der 1980er Jahre, Martin Kippenberger, der mit seinem Endzeit-Sarkasmus unzählige spätpubertäre Kunststudenten in den Bann zog. Er verwurstete Filmszenen, ältere Kunstwerke, Zeitungsfotos, Buchtitel, Aufkleber und vieles mehr. Géricaults bereits erwähntes Gemälde *Szene eines Schiffbruchs* (*Das Floß der Medusa*) nahm er zum Anlass einer Werkgruppe, wobei er sogar das Floß nachbaute. Und das berühmte Foto von Picasso mit der weißen Riesenunterhose diente ihm zudem als Vorlage für eine Serie von Selbstporträts.

■ Bringt sich mit Unmengen Alkohol in Performance-Laune:
Jonathan Meese, *Erzreligion Blutlazarett* ..., 1999

Kippenbergers Plastik *Familie Hunger* ist auch ein Zitat: Im Filmklassiker *Fenster zum Hof* karikierte Hitchcock eine Künstlerin, die den ganzen Tag faul in der Sonne liegt und gelegentlich an einer Büste im damals angesagten Henry-Moore-Stil arbeitet. Im Werk klafft dort ein Loch, wo eigentlich der Bauch sein sollte. Als jemand fragt: »Was soll das denn sein, wenn es fertig ist?«, bekommt er die patzige Antwort, der Titel sei *Hunger.*

Der Videokünstler Douglas Gordon benutzt gleich ganze Filmklassiker wie *Taxi Driver* oder *Psycho* als Material. Er teilt die bewegten Bilder auf und spielt sie in unterschiedlichen Geschwindigkeiten ab. Im Grunde sind Gordons Zitate technisch aufwändige Huldigungen eines Filmfans. Vorsicht ist geboten bei aufdringlichen bildhaften Zitaten, die auf berühmte Meisterwerke Bezug nehmen. Tony Cragg zeigt, dass Duchamps Ready Mades die Künstler bis heute inspirieren.

■ Vorbild für Meese? August Wallas Wohnraum in den 1970er Jahren in Gugging, Österreich

Als Referenz an den berühmten Flaschentrockner des Franzosen veranstaltete der britische Bildhauer ein optisches Spektakel aus sandstrahlgeschliffenen Flaschen. Viele Werke des produktiven Bildhauers sind reine Schmeicheleien fürs Auge, die aussehen, als seien sie hopplahopp mit dem Computer skizziert und dann in mühevoller Fleißarbeit von seinen Assistenten auf ›Tony Cragg‹ gestylt worden. Da der Künstler mehr unterwegs als im Atelier ist, liegt der Verdacht nahe, dass er gar nicht alle ›Craggs‹ zu Gesicht bekommt. Doch das Zitieren ist eine Kunst, die auch neue, originelle Werke entstehen lassen kann. Es kommt eben darauf an, wie man zitiert.

Der dänische Künstler Asger Jorn sagte einmal: »Die Lieblingsnahrung der Malerei ist die Malerei.« Das kann man angesichts der ungebremsten Zitierfreude in allen künstlerischen Medien gut und gern für die ganze Kunst gelten lassen. Jorn selbst hatte eine große Leidenschaft für konventionell-kitschige Kunst. Also erstand er in den frühen 1960er Jahren auf dem Trödelmarkt gefällige Bilder und übermalte diese mit groben Pinselstrichen. Für Jorn waren seine *Modifikationen* genannten Bilder »Monumente zu Ehren der schlechten Malerei«. Einerseits opferte und zerstörte er sie, andererseits fügte er den ursprünglichen Motiven eine entscheidende eigene künstlerische Leistung hinzu. Nebenbei hievte er die mittlerweile hoch gehandelten Bilder durch die Hintertür vom Flohmarkt in den internationalen Kunstmarkt. Inzwischen wurde Jorn selbst Opfer von ›Modifikationen‹: Der dänische Künstler Marco Evaristti kaufte für 70.000 Euro eines seiner Bilder und übermalte es. Dies sei ganz im Sinne Jorns, verkündete er.

›SIZE MATTERS‹ – VON HOCHTRABENDEN TITELN UND GRÖSSENWAHN

Eine beliebte Blendertechnik ist die Wahl wichtigtuerischer Werktitel. Das Spiel mit den Titeln ist für viele Künstler ein schwieriges Feld. Jackson Pollock zum Beispiel war dabei zunächst völlig ideenlos, wurde dann aber bei seiner zweiten großen Soloausstellung vom Galeristen Sidney Janis genötigt, die Bilder nicht mehr nur zu nummerieren. Richtige Titel sollten her. So saugte sich Pollock innerhalb einer Viertelstunde für jedes ausgestellte Bild noch etwas aus den Fingern. Manch eine Arbeit gewinnt entscheidend mit einem neuen, interessanteren Namen. So wurde ein schwer verkäufliches Aquarell Paul Klees, *Erinnerung eines Erlebnisses*, zum heiß begehrten *Orientalisches Erlebnis*.

Es sollte uns ebenfalls skeptisch machen, wenn Werke große Namen im Titel führen: Schopenhauer, Goethe oder Nietzsche. Etwas Glanz der Geistesgrößen könnte so auch auf das Werk abfallen, egal wie stumpfsinnig und leer es sein mag. Jason Rhoades zelebrierte in seiner Neon-Installation *My Madinah* – ein Hinweis auf die Stadt, in der der Prophet Mohammed starb – 1724 Synonyme für das weibliche Geschlechtsorgan. Die Ähnlichkeit des abfälligen Ausdrucks ›Cunt‹ mit dem Namen des Philosophen Kant (geboren 1724) wird hier zum Ausgangspunkt eines intellektuellen Himmelfahrtskommandos. Ein flacher Witz, von professionellen Kunstschwätzern als »absurd-surreales Beziehungsgeflecht« schlaugeredet. Einigen Ausstellungsbesuchern wird das gleich gewesen sein – Rhoades' Ausstellung bot auch die Vorführung von Softpornos aus der *Emmanuelle*-Filmreihe der 1970er Jahre – historische Bezüge ohne Ende also …

Der Verdacht, dass sich ein Künstler mithilfe eines allseits verehrten Bürgen in den Kunstolymp mogeln will, liegt nahe. Wenn ein Werk den Zusammenhang mit dem Titel nicht erkennen lässt, soll wohl der hochtrabende Titel formale Schwächen mit einer nach-

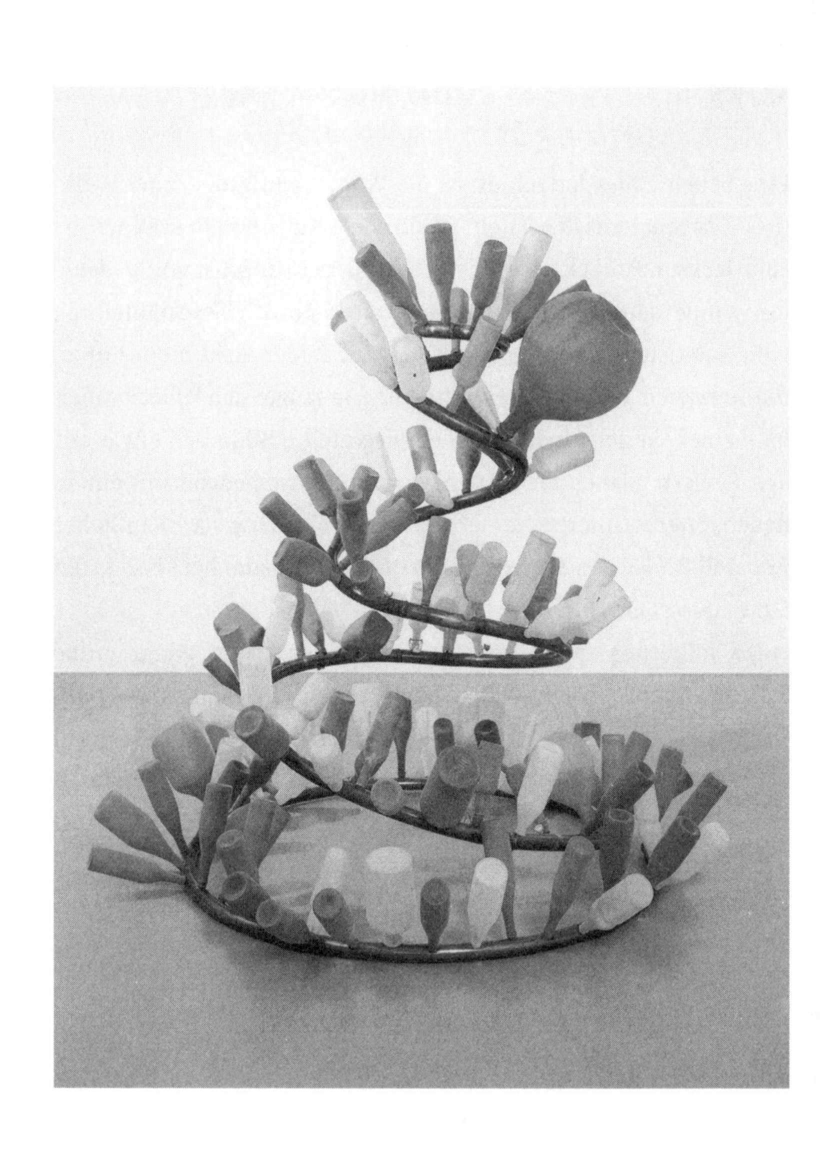

■ Inspiriert von Duchamps Flaschentrockner – Tony Craggs *Spyrogyra*, 1992. Später adaptierte er dieses Werk noch mal und stockte auf 600 Flaschen auf träglichen Verrätselung kompensieren. Schnell wird in den Werbetexten der Galerien eine flüchtige U-Bahn-Lektüre des Künstlers von ›Nietzsche für Anfänger‹ zum ›Dialog auf Augenhöhe‹ mit dem Philosophen hochgedeutelt. So gelingt es manchem Dünnbrettbohrer, Kenntnisse von Platon, Nietzsche oder Heidegger glaubhaft zu machen und deren Gedankenwelt ›kongenial‹ in die bildende Kunst übersetzt zu haben. Lassen Sie sich davon nicht ins Bockshorn jagen. Wenn ein Jean Tinguely seine kinetischen Skulpturen aus Altmetall und Maschinenteilen einst nach dem Philosophen Martin Heidegger benannte, so machte es die Objekte nicht besser. Große Penetranz in dieser Beziehung zeichnet den einstigen Beuys-Schüler Anselm Kiefer aus, der in den 1980er Jahren besonders bei amerikanischen Sammlern beliebt war. Er wird von Anbeginn seiner Karriere von einem Genie-Komplex getrieben. Sein Gigantismus spiegelt sich nicht nur in den Formaten seiner Bilder und Skulpturen wider – auch in den Titeln pflegt er sein gutes Verhältnis zur Mythologie und Sagenwelt. Von Odin, dem nordischen Supergott, über Paul Celan und den Figuren des uralten Gilgamesch-Epos ist alles dabei. ›Size matters‹ scheint eben auch in der Kunst ganz wörtlich verstanden zu werden: Es ist manchmal durchaus hilfreich, sich ein riesiges Kunstwerk einfach mal kleinzurechnen. Wie wichtig sind die physischen Ausmaße für die Wirkung? Was bleibt darüber hinaus? So mancher winzige Einfall wird aufgeblasen, bis sich der Galerieboden biegt.

DER TABUBRUCH ALS GESCHÄFTSROUTINE

Der Aufstieg Damien Hirsts und anderer unter dem Markennamen *Young British Artists* hatte mit den ekelerregenden, angstauslösenden und tabuisierten Themen und Motiven der jungen Künstler zu tun: Tierleichenpräparation oder Darstellungen von Folter und sexueller Perversion. Trotz dürftiger künstlerischer Leistungen stellte sich der Erfolg ein. Hier wirkte die kalkulierte Skandalisierung Wunder. Was als morbider Pennälerspaß begann, wurde auf einmal große Kunst. So berichtete Hirsts früher Mitstreiter Carl Freedman, Damien habe sich einmal mit einem Freund unerlaubt Zutritt zur Leichenhalle eines Krankenhauses in Leeds verschafft. Die beiden fotografierten sich gegenseitig beim Hochheben von Leichenteilen und lachten in hysterischer Ausgelassenheit. Bevor sie den Ort verließen, stahlen sie noch ein Ohr, das sie später mit der Post an einen Bekannten verschickten.

Ekel, Gewalt und Sex sind starke Effekte, hinter denen sich schwache Kunst verstecken kann. ›Sex sells‹: Man muss kein Taliban sein, um die immer währende Expansion sexueller Zeichen in die Alltagswelt, die Pornografisierung der Kunst zu missbilligen. Es langweilt einfach nur noch. In diesem Punkt verhält es sich mit dem Kunstbetrieb wie mit dem Rest der Gesellschaft: oversexed and underfucked. Auch Gotteslästerung oder Religionsbeleidigung eignen sich gut zur Erzeugung von Skandalen, wobei es meistens um das Christentum und den Papst ging oder geht. Eine satirische oder künstlerische Attacke auf den Islam traut sich allerdings keiner so recht. Spannend wäre es allemal. Doch die Selbstzensur aus Angst vor Attacken sorgte dafür, dass selbst ein ambivalentes Projekt wie Gregor Schneiders *Cube* in Venedig nicht realisiert werden konnte. Seine riesige schwarze Plastik, die als Hommage an Malewitschs *Schwarzes Quadrat* gedacht war, könnte mit viel Fantasie als Kaaba betrachtet werden, dem zentralen Heiligtum der Moslems im Innenhof der großen Moschee in Mekka.

Ein beliebtes Arbeitsfeld für hauptberufliche Tabubrecher ist die politische Kommunikation. Hier ist die political correctness ein billiges Angriffsziel. Santiago Sierra ließ unter Gasmasken keuchende Besucher durch kohlenmonoxydvergiftete Räume einer ehemaligen Synagoge führen. Er gilt vielen als kaltblütiger Konzeptionalist, der die sozialen Ausbeutungsverhältnisse anschaulich in die Kunstwelt überträgt. Sierra bezahlte einen arbeitslosen Ukrainer, die Geschichte einer polnischen Galerie auswendig aufzusagen, er ließ Immigranten Lasten tragen, Junkies tätowieren, Busse kapern und gutbetuchte Galeriebesucher in den Slums von Mexiko-City absetzen. Dies wirkt alles sehr sozialkritisch und wirklichkeitsnah. Dabei ist Sierra voll bewusst, dass sich seine Kapitalismuskritik gut vermarkten lässt: Institutionen, die auf sich aufmerksam machen wollen, sagt Sierra, engagieren ihn genau zu diesem Zweck. Doch man vergisst, dass Sierra gegenüber seinen billigen Helfern den zahlenden Auftraggeber nicht nur spielt, sondern dieser auch wirklich ist. Er profitiert von derartigen Aktionen als Künstler und spendet seine Honorare nicht etwa Menschenrechtsorganisationen. In den 1960er Jahren haben sich politische Künstler noch selbst in kritische Situationen gebracht, sich zum Teil sogar verletzt, wie Chris Burden, als er sich in den Arm schießen ließ, um damit auf die Verletzung der Menschenrechte in amerikanischem Auftrag aufmerksam zu machen. Sierra verdient nur an seinen Arbeiten.

Der chinesische Künstler Xiao Yu verwendet in seinen Skulpturen reale Leichenteile. So zeigte er 2005 in Bern eine Kombination von einem Möwenkörper und dem Kopf eines Fötus. Nachdem Gerüchte aufkamen, dass der Künstler eine Frau zur Abtreibung genötigt oder dafür bezahlt hatte, um an frisches Menschenmaterial zu kommen, wurde der Berner Museumsleiter durch zahlreiche Protestschreiben und Drohungen gezwungen, das Objekt aus der Ausstellung zu entfernen. Der Kurator verteidigte das Werk als »einen formal neuen Beitrag zum Thema Genmanipulation«. Der Übergang zur Freakshow, zur billigen Kirmesbelustigung ist fließend. Bestes Beispiel ist der Leichendompteur Gunther von Hagens. Er entwickelte – damals noch als braver Anatom in Heidelberg – ein Verfahren zur Präparation. Die Gewebeflüssigkeit des Körpers wird dabei durch aushärtenden Kunststoff ersetzt. Damit kann er Tote detailgetreu in sogenannte ›Plastinate‹ verwandeln und sie gleich noch in absurder Weise verunstalten und ausstellen. Einen Korpus transformierte er beispielsweise in den Schubladenmenschen, ein bekanntes Motiv von Salvador Dalí. Auch wenn Gunther von Hagens stets aufklärerische Motive für seine Aktivitäten strapaziert: Den Verdacht, sich zur Beschaffung von Leichen in Osteuropa und China auch illegaler Mittel zu bedienen, konnte er nie ganz ausräumen. Seine äußere Erscheinung als traurige Kopie von Joseph Beuys – mit Hut und wirrem Gequassel ohne Punkt und Komma – macht den Gruselfaktor perfekt. Während jedoch der ›Plastinator‹ in der Kunstwelt abgelehnt wird, gilt Teresa Margolles mit ihren Arbeiten, darunter einer Skulptur aus einer präparierten menschlichen Zunge, als Avantgarde. Hier zeigt sich die absolute Willkür des Kunstbetriebs in voller Blüte.

MEINE KUNST BIN ICH!

In den Pressemitteilungen der Galerien wird immer wieder gern auf Kindheits- und Jugenderfahrungen der Künstler verwiesen, um die Werke zu charakterisieren. Das mag bei einigen Künstlern durchaus angemessen sein, doch oftmals gewinnt man den Eindruck, den Fall müsse ein Profi mit psychologischer Expertise übernehmen. Leicht reizbare Zeitgenossen dürften nur wenig Verständnis dafür haben, dass man über detaillierte Kenntnisse aus der Jugend eines Künstlers verfügen muss, um einen Zugang zu seinen Werken zu bekommen. Nicht jede x-beliebige Biografie lässt sich zur ›individuellen Mythologie‹ hochjazzen. Ein ausgefallener Jet-Set-Lebenslauf, eine kleinkriminelle Kindheit in den Favelas oder die öde Jugendzeit in den Hypothekenvierteln der Vorstädte mag Rückschlüsse auf dieses und jenes zulassen. Aber wenn Künstler biografische Details penetrant zur Erklärung ihrer Kunst anführen, ist das ein Warnsignal. Immer wieder wird die Authentizität junger Künstler als Qualitätsindiz gehandelt. Ihren krummen Lebensläufen entspricht dann das provozierende Werk. Die Familienfotos des britischen Künstlers Richard Billingham künden nicht nur vom Alkoholismus und der Verwahrlosung seiner Eltern, sondern werfen auch ein Licht auf seine Kindheit. Es hat nichts mit der künstlerischen Qualität der Bilder zu tun, dass sie im Kunstzirkus landeten, statt in trendigen Jugendmagazinen als Schnappschuss-Lachnummern zu enden. Die britischen Medien, besonders die Boulevardpresse, adoptierten die Künstler der *YBA* nach einer Phase des Spottes. Tracey Emin arbeitete dabei wie viele ihrer Kollegen mit kalkulierten Skandalen: Ihr Werk *Everybody I Have Ever Slept With 1963–1995* (Alle, mit denen ich je im Bett war) von 1995 führte auch den Namen ihres Bruders auf. In Interviews machte sie dann darauf aufmerksam, dass der Titel ja nicht behaupte, dass sie mit allen aufgelisteten Personen Sex hatte. Gut, dass Traceys Bruder nicht als Kinderpsychologe arbeitete und sich anschließend nach einem neuen Job umsehen musste. Frau Emin verwandelte sich dennoch rasch von einer Persona non grata in ›Unsere Tracey‹, einem nationalen Symbol des Eigensinns, dessen freizügige Bekenntnisse ein Schlag ins Gesicht der traditionellen britischen Reserviertheit waren. So lautet ihre schonungslose Selbstbeschreibung in der Arbeit *Interview* von 1999, einem Gespräch mit sich selbst: »Ich bin total fertig, ich bin dreißig ..., fünfunddreißig ..., kinderlos. Ich bin ... eine Alkoholikerin, ich bin anorektisch, ich bin neurotisch, ich bin psychotisch, äußerst reizbar, äußerst emotional, überdramatisch ...; oberflächlich, jammernd, eine von mir selbst besessene Verliererin ...«

Auch bei der mexikanischen Malerin Frida Kahlo verdeckt die bewegte Biografie die Sicht auf ihr eigentliches künstlerisches Œuvre. Sie wurde posthum zu einer Ikone der sozialen Befreiung und weiblichen Emanzipation. In den letzten Jahren frischte eine farbenprächtige Hollywoodproduktion mit Salma Hayek in der Rolle der Kahlo dieses Bild wieder auf. Der Akkord aus einer stürmischen Liebesgeschichte mit dem Malerkollegen Diego Rivera, den schmerzhaften Beeinträchtigungen durch einen Unfall in der Jugend und der freigeistig-revolutionären Lebenslust, die sie repräsentiert, machte aus ihr ›die Frau zwischen Leid und Leidenschaft‹. Dieses starke Bild täuschte über manche Schwächen in ihren Gemälden hinweg. Ihr Ruhm basiert auf der starken Persönlichkeit, weniger auf der künstlerischen Leistung.

Natürlich gibt es auch die mutwillig erzwungene, systematisch organisierte Verknüpfung von Kunst und Biografie. Den eigenen Körper zu formen, zu verletzen und zu manipulieren, war – wie wir gesehen haben – bereits bei den Performancekünstlern eine oft gewählte Option. Im Zwang zur Originalität gehen aber auch heute noch tragisch wirkende Künstlerpersönlichkeiten diesen Weg. Die französische Künstlerin Orlan ist dafür ein Beispiel. Mit Hilfe der plastischen Chirurgie lässt sie ihren Körper zur (mehr oder weniger) lebenden Plastik werden. Mal orientiert sie sich an einer Mixtur der sich im Laufe der Jahrhunderte wandelnden Schönheitsideale, mal bekommt ihre Äußeres etwas, das sie für eine Rolle in Star Trek prädestiniert. Für Madame Tussauds Wachsfigurenkabinett allerdings ist sie keine gute Empfehlung. Darüber hinaus läuft sie mit dieser Kunst hinter Erscheinungen der Pop-Branche (Michael Jackson) und des Boulevards hinterher. So ist die unbestrittene Meisterin des sogenannten ›Barbie-Syndroms‹ die US-Amerikanerin Cindy Jackson, die sich in rund 20 Jahren 38 Operationen unterzog, um ihrem Idol, der

■ Aus der Werkstatt des Plastinators Gunther von Hagens – hat der sich gerade bewegt?

Barbie-Puppe, so ähnlich wie möglich zu werden. Heute laden die Kuratoren Orlan kaum noch ein, weil sie Angst haben, dass die Dauerpatientin bei der Ausstellungseröffnung die Partygäste mit ihrem Äußeren verschreckt.

Während einige ohne Not ihre Körper verunstalten, versuchen andere, Schicksalsschläge und Krankheiten durch Kunst zu meistern. Hannah Wilke ließ sich in Venuspose als Krebskranke in allen Stadien fotografieren, und wenn es sich nicht so absurd anhören würde, könnte man den Amerikaner Bob Flanagan als moderne, männliche Ausgabe von Frida Kahlo bezeichnen. Auch er war ein Künstler, der aufgrund seines Schicksals eine ganz eigene Kunstform entwickelte. Beide konnten eine besondere Authentizität für sich in Anspruch nehmen, auch wenn sie in ihrer Kunst auf längst erschlossene Formenrepertoires zurückgriffen. Flanagan litt an der Erbkrankheit Mukoviszidose und ritualisierte eine eigenwillige Sado-Maso-Ästhetik in seinem Leben wie in seinen Performances, Objekten und Texten. Er habe nur noch wenige Jahre zu leben, war ihm von Jugend an immer prognostiziert worden. Flanagan wurde immerhin 43 Jahre alt. In Ausstellungen präsentierte er nicht nur Videos, die ihn bei schmerzhaftesten SM-Praktiken zeigen und folglich nur Zuschauern über 18 Jahren zugänglich waren, sondern ließ sich selbst als zentrales Ausstellungsstück nackt überm Krankenbett aufhängen, um sich den Fragen der Besucher zu stellen. Eine farbenfrohe Verfilmung seines Lebens ist in Hollywood bis dato noch nicht in Planung.

TÜCKISCHE BRILLANZ

Viele Künstler haben sich der Pflege technischer Meisterschaft verschrieben und bedienen damit eine immer noch weit verbreitete Publikumserwartung. Man erwartet technische Brillanz und naturgetreue Wiedergabe in Malerei und Plastik. Millionen Hobbykünstler und Zehntausende von professionellen Künstlern streben nach handwerklicher Perfektion. Hier ist der Übergang von Kunst zu Kunsthandwerk zu verorten. Stellen wir uns vor, die beliebte Plattitüde »Kunst kommt von Können« wird zum globalen Dogma. Ein Alptraum würde wahr. Ein Hauch davon wird greifbar, wenn man einen Blick in die chinesische Millionenmetropole Shenzhen wirft, in der sich seit Ende der 1980er Jahre eine starke Industrie für Gebrauchskunst entwickelt hat. In dieser ›Factory‹, von deren Dimensionen nicht mal Warhol zu träumen gewagt hätte, produzieren rund 10.000 Akkordmaler Kopien von Meisterwerken und Auftragsarbeiten aller

Art. Umgerechnet 30 Cent bekommen die Kunstarbeiter, die jeweils zwei nebeneinandergestellte Leinwände parallel bemalen. Ungefähr fünf Millionen Bilder jährlich verlassen das gern als ›Künstlerdorf‹ idealisierte Produktionsgelände Dafen. Sein weltweiter Marktanteil für Billigkunst liegt bei 60 Prozent. Ist hier der Markt der Zukunft, wenn eines Tages Millionen von Asiaten und vielleicht sogar Amerikaner und Europäer Meisterwerke von der Stange bestellen – wenn das handgemalte Unikat das Poster ersetzt haben wird? Unter den Malern für die Massenfertigung befinden sich auch viele Absolventen der staatlichen Kunstakademien, die ihr Handwerk wirklich beherrschen: Das macht unser Szenario umso erdrückender. »Vom Handwerk kann man sich zur Kunst erheben. Vom Pfuschen nie.« Selbst Goethe, dem dieser Merksatz zugeschrieben wird, könnte in Dafen noch mal ins Grübeln kommen.

Mehr aus Ratlosigkeit als mit klarer Perspektive bieten viele Kunsthochschulen heute Technikkurse an. Ob die Kurse auch besucht werden, ist eine andere Frage. Viel entscheidender ist, dass Technik heute nicht mehr die Lösung zur ausschlaggebenden Frage bedeutet: »Was habe ich als Künstler zu sagen?« Ein Künstler, der diese Frage durch meisterhaft beherrschte Technik und Fleiß zu beantworten sucht, produziert in den meisten Fällen schlechte Kunst, besonders wenn sich damit auch noch ein intellektueller Anspruch verbindet. Nehmen wir die hübsch gemalten Nichtigkeiten der amerikanischen Malerin Elizabeth Peyton. Sie fertigt Porträts von Promis wie Leonardo di Caprio oder der ›Royal Highness‹ Prinz Harry – all jenen, denen wir täglich in den Hochglanzmagazinen begegnen. Dabei führt sie die zuckersüßen Gemälde mit dem ewig gleichen Pinselstrich aus. Der einzige Inhalt der Bilder ist der Wunsch der Künstlerin, selbst berühmt zu werden.

Als Beispiel für eine gelungene Verbindung von technischer Perfektion und Aussagekraft kann der australische Künstler Ron Mueck gelten. Mitte der 1990er Jahre wurde er von Charles Saatchi entdeckt. Muecks hyperreale menschliche Figuren bestechen nicht nur durch ihre perfekte Ausführung. Die Wahl der Gesten und Situationen in der Darstellung bewirken meist, dass die Betrachter über das Staunen hinauskommen und etwas von sich in den Figuren erkennen.

Allerdings gibt es auch Künstler aus der zweiten und dritten Reihe, die sich eine Nische in der Kunstwelt geschaffen haben. Nennen wir sie die Liga der ehrlichen Handwerker. Sie haben kein Interesse daran, hochtrabende Kunst zu machen, und werden von ihren Galeristen auch nicht mit diesem Anspruch im Kunstbetrieb platziert. Künstler wie Christopher Lehmpfuhl definieren sich frei von großen Attitüden als Landschaftsmaler, unternehmen lange Reisen und übersetzen ihre Impressionen mittels delikater Technik in Malerei. Sie perfektionieren einfach ihren Stil, sind verliebt in ihren Farbauftrag und die Sicherheit ihres Gestus. Ihre Götter sind Lovis Corinth, Max Liebermann, vielleicht auch Edward Hopper. Ihr Zugang zu Malerei und Bildhauerei ist ein völlig ungebrochener, und manchmal können sie sogar ganz passabel davon leben.

Seien Sie trotzdem prinzipiell skeptisch bei Kunst, die technisch hervorragend ist, aber auf bekannte Formen oder zu klischeehafte Motive zurückgreift. Davor sind selbst Künstler von internationalem Rang nicht gefeit. Auch Neo Rauch warnt vor den Gefahren handwerklicher Perfektion: »Man kann sich in Selbstverliebtheiten verwickeln, in Routineabläufe. So ein gewisser Schliff im Handgelenk kann auch zu sehr öligen, unangenehmen Resultaten führen.«

Ähnlich unangenehm können Bildfindungstechniken sein, die nach immer gleichem Schema ablaufen. Besonders gern greifen Künstler auf Konfrontationen von Gegensätzen oder Motiven zurück. Dabei entstehen oft banale Mixturen, die schlicht den gängigen Strategien in der Werbekommunikation entsprechen. Nicht unerwähnt lassen darf man jene schauderhaften Motivsynthesen, die

■ Ron Muecks hallengroße Plastik *Boy* von 1999. Der Künstler war früher Modellbauer bei der Sesamstraße

aussehen wie das Ergebnis eines stilgeschichtlichen Brainstormings ohne Hirn. Der Künstler-Alchimist lässt einfach den Kopf weg wie bei René Magritte, lässt etwas zerfließen wie Salvador Dalís Uhr und verrenkt die Glieder wie bei Hans Bellmers Puppen. Dann kommen noch ein paar leichenblasse Schönheiten oder eine Säulenarchitektur à la Paul Delvaux hinzu, vielleicht gar ein Kätzchen frei nach Balthus. Die ganz persönliche Spezialität sind möglicherweise einige Science-Fiction-Elemente oder leere Sprechblasen: Das sagt mehr als tausend Worte. Voilà, Provinzsurrealismus vom Feinsten! Relativ häufig begegnen uns diese giftigen Mischungen in der Kreisklasse des Kunsthandels, auf Kunstflohmärkten und im Zahnarztwartezimmer. Zu Risiken und Nebenwirkungen fragen Sie in jedem Fall den Galeristen.

Mancher, der die zeitgenössische Kunst nicht mehr versteht und trotzdem ästhetische Ansprüche hat, begibt sich in die Kitschzone und wird zum Fall für Bruno Bruni. Der Hamburger ist ein durch und durch auf Effizienz ausgerichteter Künstler. Betuchte Banausen kaufen bei ihm zahlreich und gerne, Promis wie der Ex-Kanzler Gerhard ›Gazprom‹ Schröder sind auch dabei. Brunis Bronzeskulpturen sind weichgespülte Männerfantasien, weibliche Akte mit Idealbrüsten und Mädchen-Popos, die in Auflagen von 5.000 Stück (!) nummeriert und handsigniert hergestellt werden. Brunis Zeichnungen und Lithografien zeigen gefällige Blumenstillleben, idyllische Landschaften, aber vor allem viele, viele nackte Damen auf blütenfrischen Laken hingestreckt. Seltener sind Motive wie das des aufgebahrten Leichnams von Che Guevara, der bei Bruni allerdings aussieht wie ein erschöpfter Weihnachtsmann nach der Bescherung.

Bevor Sie in Brunis Online-Shop Ihr Geld zum Fenster rauswerfen, werden Sie lieber selbst aktiv. Kaufen Sie sich ein Malen-nach-Zahlen-Set oder suchen Sie sich auf der nächsten Jahresausstellung einer Akademie einen Künstler aus, dessen Arbeit Ihnen keine Alpträume bereitet. Unterstützen Sie ihn mit einem monatlichen Geldbetrag! Handeln Sie aus, wie viele Werke Sie am Ende des Jahres bekommen, wobei Sie auf das Recht der eigenen Wahl bestehen sollten. Wenn der Nachwuchskünstler nichts produziert hat, das Ihnen gefällt, nehmen Sie trotzdem etwas mit. Dann haben Sie immerhin ein Geschenk für die nächste Geburtstagsparty bei guten oder auch weniger guten Freunden. Denken Sie an den Manager, der damals den Pollock kaufte ...

GENIAL SCHLAMPIG? DILETTANTISMUS ALS KONZEPT

Weil Technik heute nicht mehr alles ist, glauben viele Künstler und solche, die es werden wollen, nichts zu können sei schon die beste Voraussetzung für eine Karriere. Einige von ihnen verachten die technische Meisterschaft als dumpfe Fleißarbeit oder gar Fetischismus, wären aber selbst gar nicht dazu in der Lage. In ihrer Zeit auf den Akademien trainieren sie lieber, wie man eine künstlerische Arbeit macht, die zeitgenössisch aussieht und sich möglichst geschmeidig in den Kunstbetrieb einspeisen lässt. Hier bieten sich diverse Tricks an: Zeichnungen auf Papier (gern auf Hotelzimmerblöcken – man lebt schließlich in New York, London und Berlin!) wirken mit geglätteten Eselsohren, zahllosen Ausradierungen und sogar Kaffeerändern viel impulsiver und lebendiger. Gern wird auch der Kontrast von großem Format und winziger Zeichnung benutzt. Dann bleibt viel Platz für alle erdenklichen ›prozesshaften‹ Lebenszeichen – bis hin zur Spermaprobe. Wenn die Freundin den Künstler gerade geärgert hat, kommt ein linkisch geschriebener Fluch auf dem Blatt auch ganz gut. Wem da nicht so viel einfällt, der schreibt einfach ›Bitch!‹ – schon hat die Arbeit einen Namen. Ganz Schlaue schlagen einen Literaturklassiker auf und kritzeln eine kurze Passage daraus auf die Grafik. Schnell entsteht so der Eindruck, man sei a) auch sprachlich begabt oder b) belesen.

In den 1990er Jahren schauten sich die Studenten gerne Präsentationen des Amerikaners Raymond Pettibon ab. Er pinnte seine grafischen Blätter ohne offensichtliche Ordnung dicht über- und nebeneinander an die Ausstellungswand. Prompt tauchten allenthalben ähnliche Zettelwirtschaften auf. Ein bunter Mix aus Gefundenem, schnell abgezeichnetem Nonsens (aus Fernsehzeitung, Fashion- oder Pornomagazin), vielleicht garniert mit ein paar Edding-Tags, und nicht zu vergessen die reichliche Zugabe von verschiedenen

Klebebändern zur Befestigung lassen den Kunst-Pegel schnell in den grünen Bereich schnellen. Das Fragmentarische ist Trumpf. Nach dieser Rechnung macht Nonsens mal Nonsens nicht etwa eine akademische Null, sondern ein ›High Potential‹ für den Kunstmarkt.

Den neuen Manierismus trifft man in allen Medien an. In der Malerei sind Übermalungen, sichtbare Korrekturen, Farbnasen, Tropfen und Auswaschungen fast schon standardisierter Chic. Am besten, die Leinwand erst mal richtig vollsauen, das ist schon die halbe Miete! Das strahlende Weiß der wohnzimmergroßen Leinwände schüchtert ohnehin nicht wenige Kreative ein. Dann muss man sich entscheiden: entweder überbordende Fülle oder an Arbeitsverweigerung grenzende Minimalinvasion auf der Leinwand. In dem Fall sollte man mit dünnem Weiß wieder drübergehen. Schon hat man ein Kunstbetriebsweiß auf der Leinwand, mit dem fast schon der Akademieabschluss geschafft ist.

Bei Objekten oder raumfüllenden Installationen bieten sich andere Tricks an, einen möglichst provisorischen oder spontanen Eindruck zu vermitteln. Im Angebot sind Holzpaletten, sichtbare Verkabelungen, sporadische Bemalungen. Zellophan und alle erdenklichen Verpackungstechniken der Industrie lassen sich auch verwerten. Wie wäre es mit ein paar in Pappe gewickelten Gartenstühlen, die man zu einer raumgreifenden Skulptur arrangiert? Schon entspricht der Künstler dem gängigen Code der Formgebung für zeitgenössische Kunst. Irgendein Trottel findet sich immer, der darin eine ›Hinterfragung der Konsumgesellschaft‹ erkennt oder die ›Thematisierung räumlicher Strukturen‹ herbeiredet. Wenn in einer Skulptur chirurgisches Gerät, Mullbinden oder ein paar Pflaster Verwendung finden, ist schließlich auch schnell jemand mit einer Referenz zum Philosophen Michel Foucault und dessen Buch *Die Geburt der Klinik* zur Stelle. Viele Künstler – nicht nur Studenten – grasen auf Kunstmessen die Kojen der Galerien nach kunstmarkttauglichen

Materialien ab. So kristallisieren sich dynamische Kriterien heraus, wie originelle zeitgenössische Kunst aussehen sollte. Jeder der aufgelisteten Tricks, für sich genommen, muss kein Hinweis auf schlechte Kunst sein. Doch wenn das Lässige, Hässliche, Gestische und Provisorische allzu penetrant seinen Kunststatus herausposaunt, wird es zur hohlen Geste.

WILLKOMMEN IN DER KOALITION DER VERZWEIFELTEN

Vielleicht sind alle guten Ratschläge nutzlos, wie man sich der zeitgenössischen Kunst nähert, ohne den Verstand auszuschalten. Zu tief sitzt das seltsame Gefühl, als Zaungast der Kunstwelt zum unfreiwilligen Zeugen eines Sektenrituals geworden zu sein. Ohne erfolgreich absolvierte Gehirnwäsche bleibt man ausgeschlossen. Einen Trost gibt es: Denn auch viele Kritiker und Kunsttheoretiker sind beleidigt. Sie verwenden polemische Begriffe, um sich Luft zu machen: Ausstellungskunst, Kunstmarkt-Kunst, Kaufmich- oder Cash-and-Carry-Kunst. Die Theoretiker fühlen sich aber ebenso unwohl, wenn sie mit der Kritik der Kunstlaien konfrontiert werden, denn die kommt oft grobschlächtig daher: »Das hätt' ich auch gekonnt!« oder »Das soll Kunst sein?« sind da die harmloseren Kommentare, während am Ende der Skala steht: »Alles in die Tonne kloppen!«. Das kann man als kritischer Kunstfreund und Fachmann natürlich nicht unterschreiben.

Besonders ärgerlich wird es, wenn fundamentale Kritik an moderner Kunst mit einer unverblümten Begeisterung für ausdrucksleeres Kunsthandwerk à la Arno Breker oder Bruno Bruni gepaart ist. Aber es sind nicht nur die kulturpessimistischen Theoretiker, die einen Gewissenskonflikt mit sich ausfechten. Eigentlich alle in der Kunstwelt bewanderten Zeitgenossen sehen sich manchmal zu Pflichtver-

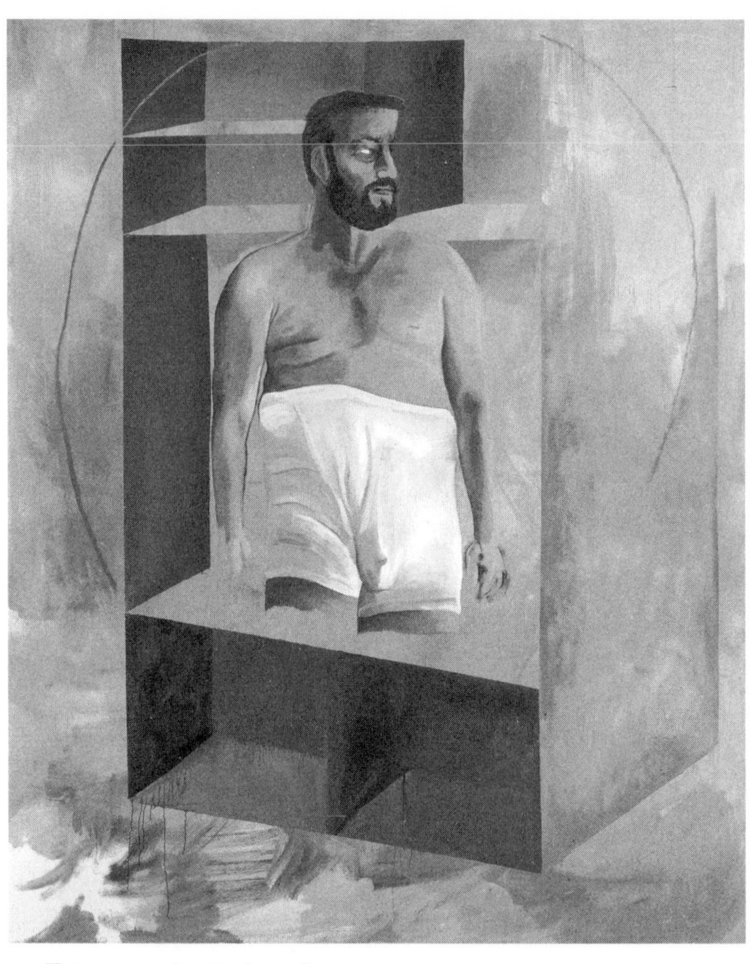

Immer an den Großen reiben:
Martin Kippenbergers Selbstporträt, *Ohne Titel*, 1988

teidigern einer Kunst degradiert, die sie selbst nicht mögen. Es hat etwas Demütigendes, sich selbst in einer solchen Zwangssolidarität zu sehen – umso schöner ist die Erlösung für die Kunstinsider, wenn sie sich hinter vorgehaltener Hand mit ihresgleichen über (gerade nicht anwesende) Künstler das Maul zerreißen können.

■ Wechselte seine Stile wie die Unterhosen –
Picasso der Große im Jahr 1962

Doch besonders gut hält die ansonsten überaus intrigante Kunstwelt zusammen, wenn es Vorwürfe zu bekämpfen gilt, die sich auf Machtpositionen oder Netzwerke im Kunstbusiness beziehen. Wer sich fragt, wie schlechte Kunst in diesem System so weit kommen konnte, und dabei auf die inszenierten Wertschöpfungsketten ebendieser

Netzwerke und Seilschaften hinweist, wird als ›Verschwörungstheoretiker‹ oder ›reaktionärer Kunstfeind‹ verunglimpft. Dabei sind längst auch die Fachleute verunsichert, was man als Kunst zur Kenntnis nehmen soll. Das ist kein Wunder, denn in der bildenden Kunst wurden in den letzten zwei Jahrhunderten so viele Regeln über Bord geworfen, dass sich nun Laien und Profis in der großen Orientierungslosigkeit treffen. Unterschiedlich ist nur ihr Vokabular. Der geschulte Blick der Experten und derer, die sich dafür halten, ist ein domestizierter Blick geworden. Die Binnenlogik der Kunstwelt hat der selbst ernannte Kenner verinnerlicht wie eine Droge. Immer wieder lutscht er darauf herum wie auf Pfefferminz, von dem der Atem schlecht wird, wenn man zu viel davon nimmt.

WAS PASSIERT, WENN ALLES KUNST IST?

Im Laufe des 20. Jahrhunderts ist die Kunst aus dem Rahmen, vom Sockel und aus der Galerie gekommen. Sie ist in die Alltagswelt hinabgestiegen wie ein König, der sich mal unters Volk mischt und am Ende, weil er nicht mehr nach Hause findet, in irgendeiner Eckkneipe versackt. Schlussendlich wird der König Kneipier. Heute muss man unter jeder Teppichfalte mit einem Kunstwerk rechnen. Diese Expansion ist von den Künstlern des 20. Jahrhunderts immer weiter vorangetrieben worden – im Schatten einer mal mehr, mal weniger unansehnlichen Malerei, die immer noch als die Königsdisziplin der Künste gilt. Zeitgenössische Kunst kommt wie ein riesiger Baumarkt daher, in dem der freundliche Mann hinterm Tresen stolz verlauten lässt: »Name it, we have it!« Es ist und bleibt für viele schwer zu akzeptieren, dass neben Elefantendung, Tierkadavern, Einweckgläsern und Neonröhren noch so unendlich viele Alltagsgegenstände vorhanden sind, die das Zeug zum Kunstwerk haben. Natürlich gibt es die Künstler, die man an einer eigenen Handschrift erkennt. Aber immer mehr behelfen sich mit einer virtuellen Signatur durch Produkte, Objekte oder Fundstücke.

Die Kunst hat die Dingwelt erobert. Doch es war nur eine Frage der Zeit, bis die Rache der Dingwelt folgte. Sie entfaltet ihre ästhetische Magie nun ohne die Künstler. Selbst die Naturwissenschaften zelebrieren mittlerweile die grafische Ansehnlichkeit ihrer Forschungsergebnisse und lassen viele Künstler neidisch dreinschauen. Anstoß gab in den 1980er Jahren die damals so heiß diskutierte Chaostheorie. Mathematiker wie Benoît Mandelbrot brachten Bildbände zur fraktalen Geometrie heraus, in denen die grafischen Simulationen ihrer Theorien gefeiert wurden. Die damals aufkommende Denkfigur vom Flügelschlag eines Schmetterlings, der am anderen Ende der Welt einen Wirbelsturm verursachen könne, löste mit seiner mystischen Faszination den Sack Reis ab, der in China umfiel, wenn uns etwas egal war.

Was passiert, wenn alles potenziell Kunst ist? Für unsere ästhetischen Bedürfnisse brauchen wir keine Künstler mehr. Um gläubig zu sein, bedarf es schließlich auch nicht zwangsläufig der Kirche. Der Alltag bietet uns viele visuelle Erlebnisse: Das Rangieren der Güterwaggons auf den Gleisanlagen eines Großbahnhofs, die Menschenströme im Einkaufscenter, die sedierte Menge sich sonnender Urlauber am Strand – alles kann Auslöser einer ästhetischen Erfahrung werden. Und manche Zufallsbeobachtung wirkt intensiver als großartig konzipierte Kunstwerke. Die Antwort mancher Künstler auf ihre Überflüssigkeit liegt in der Inszenierung der Unordnung – ein wilder, chaosverliebter Verzicht auf jegliche Ästhetik. In großen Stil werden Materialberge zusammengeschoben bis das Unübersichtliche auf magische Weise die richtige Betriebstemperatur erreicht und aus Gerümpel Kunst wird. Vielleicht aber – so die leise Hoffnung – ist die Ratlosigkeit nicht gar so groß, wenn Sie das nächste Mal vor einem Haufen Kunst stehen.

SAG ZUM ABSCHIED LEISE SERVUS …

Wenn Ihnen unsere vorsichtige Annäherung an die Gegenwartskunst aber rein gar nichts gebracht hat und Sie nach wie vor der Meinung sind, Künstler gehörten in die Klapsmühle und zeitgenössische Kunst komplett auf den Sperrmüll, dann haben wir einen letzten Trost: Dass wir irgendwann alle einmal sterben müssen, ist schon eine bodenlose Frechheit. Aber dass die Kunst auch sterben muss, ist ein Gedanke, der für viele fast noch schwerer zu ertragen ist. Die Kunst ist fast schon zum Religionsersatz geworden. Sie galt als Trostpflaster für die Gewissheit unserer Sterblichkeit, sollte diese Ungeheuerlichkeit ein wenig abmildern helfen. Niemand hat das schöner zum Ausdruck gebracht als Friedrich Nietzsche. Die »Wunde des Daseins«, schrieb der Philosoph, werde nur erträglich durch den »verführerischen Schönheitsschleier der Kunst«. Und der hängt in Fetzen, wie wir nun wissen.

Aber wieso ist alle Kunst endlich? Sind wir nicht wahre Meister im Bewahren und Konservieren? Der japanische Papiertycoon Ryoei Saito kaufte 1990 einen van Gogh und einen Renoir für ungeheure 160 Millionen Dollar. Die Spekulationsblase des internationalen Kunstmarktes war kurz davor zu platzen. Noch sensationeller als der Kaufpreis war Saitos Ankündigung, nach seinem Ableben die Werke mit sich einäschern zu lassen – wie es Brauch in Japan mit Gegenständen ist, die dem Verblichenen besonders lieb waren. Schließlich ging der alte Mann nach lauten Protesten entsetzter Kunstfreunde im März 1996 ohne seine Bilder von uns. Hätte man ihm seinen letzten Wunsch nicht einfach gewähren können?

Ungeachtet solcher Skandale mit Happy End ist es doch das pure Desinteresse der nachfolgenden Generationen, das zum Verfall von Kunstwerken führt. Wieviel Kunst stirbt täglich einen leisen Tod, ohne dass sich jemand aufregt? Von den meisten Kunstwerken einer Epoche ist schon nach wenigen Jahrzehnten nicht mehr die Rede –

und hier handelt es sich um die große Mehrzahl jemals hergestellter Arbeiten. Im besten Fall verschwinden sie für immer in den hintersten Ecken der Museumsdepots und vergammeln dort. Im schlimmsten Fall erleiden sie auf einem staubigen Dachboden das Schicksal eines ungeliebten Erbstückes und vergammeln dort noch schneller. Wer annimmt, dass die besten Werke dennoch überdauern, steht auf schwankendem Boden. Die Kunstwerke, die wir heute als Meisterwerke der Vergangenheit bestaunen, geben wahrscheinlich kein zuverlässiges Gesamtbild der einstigen Kunstproduktion. Wie viele Künstler und Künstlerinnen sind heute trotz solider Qualität ihrer Werke schon vollkommen in Vergessenheit geraten? An wie viele der zeitgenössischen Künstler wird man sich in zwanzig oder fünfzig Jahren erinnern?

Niemand kann heute sagen, welche kulturellen und informationspolitischen Prioritäten die Gesellschaft in 200, 500 oder 1.000 Jahren haben wird. Macht sich dann noch jemand die Mühe, durch Milliarden von antiken Datensätzen zu wühlen, um – vielleicht – was Interessantes zu finden? Auch in der Zukunft wird man vor dem Problem stehen: »Wer soll das bezahlen?« Vermutlich wird die Gesellschaft der Zukunft eine ganz andere Vorstellung von Bewahrenswertem haben als wir. Was wird dann aus unserer Zeit in den Museen der Zukunft – falls es so etwas noch gibt – ausgestellt sein? Jeff Koons' Porzellanpuppen? Die ersten Computer? Oder Dioramen mit ›plastinierten‹ Fußballern?

Diese Vergänglichkeit! Sie beruhigt und beunruhigt zugleich. Denn unsere Zeitgenossenschaft mit der Kunst hat etwas Exklusives, Flüchtiges. Deshalb gibt es für sie nur eine Chance, und die liegt in der Großzügigkeit, die wir ihr entgegenbringen. Wann diese Kunst sehen, wenn nicht jetzt?

FOTO- UND BILDNACHWEIS

■ *Seite 13*
Til Mette, *Haatschi!!*
© Lappan Verlag Oldenburg;
Til Mette: Meine Welt
■ *Seite 17*
Andy Warhol
© 2007 Andy Warhol Foundation for
Visual Arts / ARS, New York
■ *Seite 20*
Marina Abramovic / Ulay
© VG Bild-Kunst, Bonn 2007
■ *Seite 22*
Jake und Dinos Chapman
© the artist
Courtesy Jay Jopling / White Cube,
London
■ *Seite 25*
Neo Rauch
© VG Bild-Kunst, Bonn 2007
■ *Seite 33*
Maurizio Cattelan
Courtesy Marian Goodman Gallery,
New York
■ *Seite 37*
Cindy Sherman
Courtesy the artist and Metro Pictures,
New York
■ *Seite 41*
Chris Burden
»Documentation of Selected Works
1971-74«, 1971-75
Courtesy Electronic Arts Intermix
(EAI), New York
■ *Seite 45*
Sol LeWitt
© VG Bild-Kunst, Bonn 2007
Foto: Klaus Baumgartner
Courtesy Stadtgalerie Kiel
■ *Seite 49*
Monica Bonvicini
© VG Bild-Kunst, Bonn 2007
■ *Seite 53*
Joseph Beuys
© VG Bild-Kunst, Bonn 2007
■ *Seite 57*
Martin Perscheid, Perscheids Abgründe
© PERSCHEID / Distr. Bulls
■ *Seite 61*
Til Mette, *Ups, mein Portemonnaie ist wohl zu schwer*
© Lappan Verlag Oldenburg;
Til Mette: Meine Welt
■ *Seite 65*
Wim Delvoye
© VG Bild-Kunst, Bonn 2007
■ *Seite 70*
Bethan Huws
© VG Bild-Kunst, Bonn 2007
■ *Seite 77*
Maurizio Cattelan
Courtesy Marian Goodman Gallery,
New York
■ *Seite 80*
Bridget Riley
© 2007 Bridget Riley. All rights reserved
■ *Seite 91*
Jean-Michel Basquiat
© VG Bild-Kunst, Bonn 2007
■ *Seite 96*
Martin Perscheid, Perscheids Abgründe
© PERSCHEID / Distr. Bulls
■ *Seite 99*
Beck, *Lebendiges Bild*
© BECK, www.schneeschnee.de
■ *Seite 103*
© Salvador Dalí, Gala and Salvador Dalí
Foundation / VG Bild-Kunst, Bonn 2007
■ *Seite 107*
Andy Warhol
© 2007 Andy Warhol Foundation for
Visual Arts / ARS, New York
■ *Seite 111*
Freimut Woessner, *Zahnarztpraxis*
© Freimut Woessner
■ *Seite 116*
Tracey Emin
© the artist
Foto: Stephen White
Courtesy Jay Jopling / White Cube,
London
■ *Seite 119*
And be sure to see my website at dot-dot-dot.com
© www.CartoonStock.com

■ *Seite 123*
Rattelschneck, *Vernissagenredner*
© www.rattelschneck.de
■ *Seite 128*
Marina Abramovic
© VG Bild-Kunst, Bonn 2007
■ *Seite 130/131*
Vanessa Beecroft
Courtesy Gagosian Gallery, New York
■ *Seite 132/133*
Yves Klein
© VG Bild-Kunst, Bonn 2007
■ *Seite 137*
Foto: Steen T. Kittl
■ *Seite 141*
Beck, *Ohne Titel*
© BECK, www.schneeschnee.de
■ *Seite 146*
Francis Bacon
© The Estate of Francis Bacon / VG Bild-Kunst, Bonn 2007
■ *Seite 149*
Thomas Rentmeister
© VG Bild-Kunst, Bonn 2007
Foto: Jörg Hejkal, Köln
■ *Seite 155*
Rattelschneck, *Audioguide*
© www.rattelschneck.de
■ *Seite 160*
Carsten Höller
© VG Bild-Kunst, Bonn 2007
Foto: Marcus Leith (Tate photography)
■ *Seite 163*
David Shrigley
© the artist
■ *Seite 167*
Til Mette, *Ich mag nicht, was es über Frauen sagt*
© Lappan Verlag Oldenburg;
Til Mette: Meine Welt
■ *Seite 182/183*
Santiago Sierra
Courtesy the artist and Galerie Peter Kilchmann, Zürich
© The artist
■ *Seite 187*
Call the police, some vandal has wrecked the Tracey Emin installation ...
© www.CartoonStock.com
■ *Seite 193*
Martin Perscheid, Perscheids Abgründe
© PERSCHEID / Distr. Bulls
■ *Seite 202*
Jackson Pollock
© Pollock-Krasner Foundation / VG Bild-Kunst, Bonn 2007
■ *Seite 208*
Marcel Duchamp
© Succession Marcel Duchamp / VG Bild-Kunst, Bonn 2007
■ *Seite 215*
Til Mette, *Schöne Weiterfahrt Herr Baselitz*
© Lappan Verlag Oldenburg;
Til Mette: Meine Welt
■ *Seite 217*
Pablo Picasso
© Succession Picasso / VG Bild-Kunst, Bonn 2007
■ *Seite 220*
Jonathan Meese
Foto: Jochen Littkemann
Courtesy Contemporary Fine Arts, Berlin
■ *Seite 221*
August Walla
© Art brut Center Gugging
■ *Seite 224*
Tony Cragg
Courtesy Marian Goodman Gallery, New York
■ *Seite 231*
Gunther von Hagens
© Vario Image
■ *Seite 235*
Ron Mueck
© the artist, Courtesy Anthony d'Offay, London
■ *Seite 240*
Martin Kippenberger
© Estate Martin Kippenberger
Galerie Gisela Capitain, Köln
■ *Seite 241*
Pablo Picasso
© Succession Picasso / VG Bild-Kunst, Bonn 2007
Foto: David Douglas Duncan